W9-AXK-038

# Para servirle

# Anabella Giracca

## Para servirle

**ALFAGUARA**

**Para servirle**

Primera edición: junio, 2018

D. R. © 2018, Anabella Giracca

D. R. © 2018, derechos de edición mundiales en lengua castellana:
Penguin Random House Grupo Editorial, S. A. de C. V.
Blvd. Miguel de Cervantes Saavedra núm. 301, 1er piso,
colonia Granada, delegación Miguel Hidalgo, C. P. 11520,
Ciudad de México

www.megustaleer.mx

ISBN: 978-607-316-315-6

Impreso en México – *Printed in Mexico*

El papel utilizado para la impresión de este libro ha sido fabricado a partir de madera procedente de bosques y plantaciones gestionadas con los más altos estándares ambientales, garantizando una explotación de los recursos sostenible con el medio ambiente y beneficiosa para las personas.

Penguin
Random House
Grupo Editorial

*A Stella Méndez Castejón, luz*

# Sin cuerpo no hay delito

El día en que Teresa desapareció, la mañana arrancó con aparente normalidad.

Eran las seis menos diez. El diario amaneció en el mismo arriate, a dos metros del muro de la casa, gracias a la certera puntería del repartidor. No se escuchó sirena de ambulancia kilómetros a la redonda; la comisaría cercana no tuvo más alarma que la de dos borrachos haciendo escándalo en la vía pública; la palmera arqueada bailaba mansamente ajena a los advenedizos ventarrones. La niña salió rumbo a la escuela a la hora acostumbrada de la mano de su padre. Chocolate, el perro labrador de la familia, estuvo echado en su harapienta alfombra azul sin sobresaltos. Los vidrios y cerrojos estaban intactos y no se detectaron señales de intrusos. Un silencio lacerante se extendió a cada habitación semioscura, como si el día y la noche se hubiesen enredado en un nudo ciego.

Lars Mitchell, su marido, se dirigió a la cocina. Calzaba unas alpargatas mordidas por los talones, ya que justo acababa de lavar los únicos zapatos decentes que le quedaban. A pesar de lo difícil que era descifrar sus emociones, algo en aquel rostro desencajado, con mirada como de miedo, advertía que los augurios de una mañana tan nublada habrían de cumplirse. Jamás llovió, aunque quiso.

Los vecinos de al lado confesaron haber estado fuera hasta avanzadas horas de la noche, lo que los descartó como testigos. Sus empleadas alegaron no haber oído nada más que la respiración de los niños que velaban por oficio. El guardia de turno dijo haber escuchado ingresar un vehículo al garaje de la residencia Mitchell a eso de la once de la noche, pero que no hizo siquiera el intento de distinguirlo ya que la neblina no permitía ver más allá de un metro a la redonda. Que permaneció allí entre quince o veinte minutos. Seguidamente sintió el ruido de una manguera echando agua a toda fuerza, pero que la cámara de vigilancia de la garita sufría quebrantos técnicos y que él había estado sentado en el inodoro todo el turno, debido al castigo de una úlcera que hacía de las suyas.

Angelita Mitchell, su hija de diez años, esperó el arribo del padre con sus pequeños ojos desorbitados, demasiado pequeños para un rostro tan redondo. Estaba atenta al acecho de la puerta dormida. Vestía blusa violeta con una mariposa monarca impresa en su pecho. Llevaba los pants del uniforme del Colegio Católico Bilingüe Santa Marta rascándole los tobillos porque había crecido más de la cuenta sin percatarse. Creyó más factible el hecho de que la prenda se hubiese encogido. Desde que aprendió sobre las probabilidades con Miss Juárez, Angelita Mitchell lo explicaba todo con un sentido demasiado vivaz para su edad.

10

Improbable que mi mami haya salido a caminar, porque es muy probable que llueva, comentó. Además no creía en las casualidades porque le habían enseñado que todo se daba por obra de Dios.

Aquellos pasos lapidarios de su padre, como si saltaran charcos todo el tiempo, le aceleraron los latidos y pudo visualizar su corazón a punto de reventar plasmado en la lámina del libro de Ciencias Naturales. El rechinido oxidado de la puerta anunció el arribo y Angelita sintió algo muy parecido a los zarpazos de un gran oso que recién había visto en la televisión; vislumbró su camiseta violeta deshilachada entre el basurero y su cuerpo flotando boca arriba sobre un lago de sangre. La imaginación era lo suyo. Siguió comiendo la tostada con mermelada de fresa. Sabía que si no se terminaba el desayuno completito, los niños de África pasarían hambre por su culpa, o peor aún, el Coco de antaño arrasaría con su existencia; esto último lo creyó menos probable. Sofocada, dio dos tragos de leche azucarada revuelta con gotitas de vainilla. Intentó preguntar por su madre. No lo hizo. No había excusa, abominaba que le mintieran. Lars Mitchell aclaró su garganta tres veces seguidas y contó una historia, insípida, como charlatán de circo. Angelita siguió sumida en la distancia. Un escalofrío alcanzó su pequeño y corto cuello de marfil.

Durante el trayecto rumbo a la escuela no cruzaron palabra. Ella lo ignoró entonando quedo una canción. Solía hacerlo cuando necesitaba desprenderse de las cosas, actitud que su madre siempre reprendió. Eran las ocho menos diez de la mañana.

Ese día, Angelita no jugó. Dato curioso que quedó archivado en el expediente del caso.

Candelaria Aguablanca, empleada eterna de la casa, venía de un pueblo donde todos eran parientes y la muerte sometía a la vida en cada esquina. A pesar de su irreprochable disciplina para hacer el oficio, esa mañana se ocupó de la rutina un tanto distraída. Olvidó apagar la cuarta hornilla de la estufa, colocó los tenedores de acero inoxidable en el compartimento de los cuchillos, mezcló una pieza de color entre los blancos de la lavadora y subió a las habitaciones sin el trapeador. No había alcanzado el último escalón cuando Carmen viuda de Montenegro, madre de Teresa, tocó insistentemente a la puerta. Sin saludar como acostumbraba ni despegar la mirada de su paso, subió las escaleras arrollando la menuda silueta de la sirvienta. Teresa no responde a mis llamadas desde anoche, expresó sólida como un aguacero bien habido. Y ese infeliz, tampoco, lamentó. Inevitable no compadecerla. Compulsiva, inspeccionó cuartos y baños, corrió cortinas, desvistió camas, husmeó basureros. Dio un sorbo a la fría infusión de valeriana que permanecía intacta en la mesa de noche de su yerno y le vino el empujón de escupirla. Para entonces, su instinto despertaba un pensamiento tan turbio como la mañana. Casi un augurio. Buscaba sin saber lo que buscaba. El bolso de cuero de Teresa yacía sobre un sillón de la habitación principal y por su boca semiabierta afloraban las llaves de su automóvil con un llavero de la Virgen del Rosario que habían adquirido juntas para las fiestas de octubre. Su celular estaba en un apartado de la cómoda, debajo de unos pañuelos bordados con diminutas flores. Sin mayores suspicacias, reconoció algunos objetos fuera de orden por el simple hecho de estar ordenados. Ella conocía a su hija como la palma de la mano y sabía que jamás dejaría acomodado algo utilizado recientemente.

Los guardias de la colonia ya habían empezado a escudriñar el camino que Teresa acostumbraba recorrer todas las mañanas. No encontraron pistas. Los funcionarios del Ministerio Público no tardaron en hacer su aparición. El fiscal auxiliar, Eleuterio Amado, un hombre escuálido, con evidencias de haber pasado desadvertido por la vida, uniforme percudido y vaho rancio, comentó a los subalternos que las mujeres volvían arrepentidas después de haberse revolcado hasta el cansancio con algún amante. Que eran los hijos los que las hacían regresar a la cordura de una vida sin pasión. No se preocupen en buscar con tanto esmero porque regresan con el rabo entre las piernas, expresó con aplomo. El respeto que infundía era evidente.

A pesar de que atendía muchos casos similares, la fotografía de Teresa que introdujo en su carpeta luego de desvestirla de un nublado marco, lo trastornó: parecía llorar con una sonrisa.

Candelaria había trabajado como empleada doméstica de la familia Mitchell durante doce años. Salía rigurosamente un fin de semana cada quince días rumbo a su pueblo. Debía tomar dos buses que en suma tardaban tres horas y media en llegar a su destino: el caserío Aguablanca del pueblo El Caimán. No se le conocía pareja y solo se sabía que su familia estaba conformada por un clan de sirvientas inseparables todas amarradas por el mismo destino. Cuidaba a Angelita con devoción desde el día en que la llevaron envuelta en una frazada de peluche, como capullo de palomilla. Había jurado no tener hijos, de manera que esa pequeña sería lo más allegado que su maternidad frustrada pudiese saborear. Su piel como de adobe fresco, el uniforme tres dedos arriba de las rodillas insinuando unos muslos tilintes, una honda cicatriz partiendo su barbilla, su gracioso acento de pueblerina y el cabello ligeramente trenzado hasta la cintura le daban una apariencia que al menos despertaba curiosidad. Como secreto de tumba, Angelita se dedicó a enseñarle lo que aprendía en el colegio  mientras hacían juntas los deberes y, de la noche a la mañana, la empleada recitaba una retahíla de palabras en inglés y sin acento; distinguía las graves de las agudas, multiplicaba mejor que la maestra y se conocía los países de Europa con todo y sus capitales.

La noche anterior Candelaria fue a dormir más temprano de lo acostumbrado, no sin antes entibiar la leche de la nena, hacer un huevo frito a su gusto y preparar la infusión de valeriana que le fue interceptada en el quinto escalón. Confesó haber escuchado correr el agua de la bañera de los señores alrededor de las diez y que, molesta por la bulla, subió el volumen del pequeño televisor de su habitación para ver el último capítulo de una telenovela que le había costado un año de dedicación. Que luego durmió sin interrupciones satisfecha por un final feliz.

Su incapacidad de expresar misericordia atrajo la atención del fiscal auxiliar como un golpe de mal agüero. En su larga carrera se había topado con mujeres asesinas, despiadadas, capaces de envenenar a sus propios hijos; maestras en el disimulo y artífices de la ficción, despertaron en él un sentido casi infalible en todo asunto relacionado con la maldad. El fiscal carecía de remordimientos. Acumular corazonadas representaba su sobrevivencia. Partía de las hipótesis más evidentes y escuetas para alcanzar las más complicadas y peligrosas que pocas veces lo dejaban en la estacada. Empezó a saborear el placer que le daría interrogarla hasta exprimirle la verdad que, según sus pronósticos, la sirvienta escondía detrás de esa mirada de pájaro.

Las horas habían transcurrido y muchos pasaron por la casa de los Mitchell para ofrecer ayuda. Ni siquiera la gran mesa ovalada del comedor, cundida de platos desordenados con tostadas, galletas de mantequilla y gajos de lima con sal marina, se dio abasto. En su centro faltaba un candelero de plata que estuvo siempre ahí; solo Carmen sintió un vacío que no supo descifrar.

El párroco de San Sebastián, el padre Estevan, se acercó a eso de la media tarde. Demasiado despeinado para ser cura. No parecía el ungido de Cristo, ni mucho menos un intermediario entre Dios y la humanidad. Era amigo de la familia y confesor de Teresa, quien religiosamente asistía a misa domingo tras domingo, rezaba con solemnidad cinco padrenuestros antes de cada comida y acudía dos veces por semana a los maitines y vísperas de la Santísima Virgen con un pequeño breviario de bolsillo bajo el brazo. El cura lamentó que los pormenores que conocía fueran inservibles, ya que veneraba el secreto de confesión con tal rigurosidad que más dominaba en él la fe que la cordura, aunque la misma vida de Teresa dependiera de ello. Desde el principio, él supo que se trataba de algo que había que tomar con absoluta seriedad. Ofreció un oficio diario por Teresa. Rogó plegarias a los presentes, los salpicó con agua bendita y se retiró visiblemente acongojado. Esa tarde el sacerdote canceló dos visitas a moribundos y se refundió en la capilla de la parroquia sucumbido en lamentación. Dedicó la misa de las seis de la tarde a la desaparecida y los penitentes lo vieron llorar apesadumbrado. Jamás lo imaginaron tan sensible. Esta vez no dio fraternalmente la paz.

El tiempo se detuvo como si Teresa fuera a entrar en cualquier momento a regar sus macetas o su aura estuviera atrapada entre los muebles. Al lado del sofá para cuatro, permanecían unas pequeñas pantuflas de mujer casi tibias todavía y sobre la mesita un libro de Agatha Christie, *El misterioso caso de Styles*, marcado más o menos a la mitad. Nadie se muere con una novela a medias por su propia voluntad, señaló Eleuterio Amado con el libro entre sus manos.

El Ministerio Público llevó a cabo una exhaustiva búsqueda más allá del perímetro de la ciudad: terrenos baldíos, caseríos, sembradíos, lagunas, ríos, fábricas abandonadas, pozos inútiles y hasta en el mismo Cementerio General. Esto último en caso de que la hubieran escondido en una tumba prestada. Reporteros de todos los medios nacionales, persiguieron la noticia y, aunque era un caso bajo reserva, hicieron lo imposible para conseguir información por medio de infiltrados que, cómodamente, se sentaban en la sala perdidos entre la muchedumbre.

A Teresa Montenegro la dan por muerta. Lars Mitchell es el sospechoso de haberla golpeado hasta arrancarle la vida. El arma homicida jamás apareció, ni con la ayuda de perros adiestrados. Presuntamente desapareció el cuerpo y no lo hizo solo. Realizó diferentes movimientos para eliminar pistas que pudiesen implicarlo. Apenas dejó algunos vestigios imborrables de su supuesto crimen, como un pantalón ensangrentado que apareció anudado en el fondo de un basurero del lote cuatro de la colonia Bella Vista. Imposible negarlo por las dimensiones de su talla triple equis. Según consta en la fuente de información analizada, ninguna acción de Lars estuvo encaminada a la búsqueda de Teresa o al esclarecimiento de su supuesta desaparición.

Ni tan solo por el afán de fingir.

En sus escuetas declaraciones asegura que se trata de un caso político, aunque nunca ocupó cargo alguno de gobierno. Tras un intento fallido de huir del país, con la ayuda de cómplices desconocidos que facilitaron documentos falsos, está en una celda donde el catre le llega a los tobillos y su cuerpo no se da abasto entre las cuatro paredes. Sus abogados alegan que ha sido víctima de interpelaciones tan mordaces, que más bien parece un consejo de guerra por delito de alta traición. A pesar de un estado de salud deteriorado, escribe interminables cartas para Angelita, con afecto sublime. Una sola petición está en su agenda: encontrarse con Candelaria Aguablanca. Ella permanece bajo custodia. La protegen como testigo. Una serie de eventos aseguran que intervino manipulando pruebas para colaborar. Que omitió información y confundió la investigación deliberadamente. O que se vio obligada a hacerlo. En cualquiera de los casos, ella es crucial para acercarse a los hechos.

En un momento de flaqueza Candelaria confesó haber divisado, a través de la puerta entreabierta de la habitación de sus patrones, los pies pálidos e inertes de Teresa asomando por una sábana beige que la cubría y que había notado la falta de una cortina y una alfombra de arcoiris del cuarto de la nena. El fiscal auxiliar interroga a sus allegadas para trazar un perfil completo que le ayude a descifrar las verdaderas intenciones de la sirvienta. Según él, ellas saben todo y dicen nada, ocultando con maestría las secuelas de una vida mal habida.

A nadie puede condenarse aún porque, según dicen, sin cuerpo no hay delito.

# El Caimán

## Socorro Aguablanca, prima de Candelaria

### Los aretes

¡Ay Dios!..., parte el alma solo de pensar lo que hemos pasado. Hay sombras por todos lados. Tengo memoria y de pronto..., todo se esfuma. Como en un acto de circo donde aparecen y desaparecen cosas...

Pero hay que empezar por el principio. Los hechos, como son. Y cada uno habla de la fiesta según como le fue.

¿Usted sabe lo que es la soledad?

Vea, en este pueblo nacimos para sirvientas. Es la única vida que conocemos. Crecemos soñando con viajar a la ciudad para caminar por el asfalto caliente y rondar por sus edificios altos como almas en pena. Para sentarnos en una banca solitaria de parque. No se crea..., nacimos para tener un miedo que muerde. Los domingos vamos cogidas de la mano por ahí, como si la muerte nos anduviera buscando. Desde niñas, nuestra única ilusión es crecer antes de tiempo para limpiar casas grandes con lámparas hermosas, televisores enormes, elegantes platos de porcelana o figuras de bronce y pisos tan brillantes, que se confunden con espejos donde una se puede ver completa. Para eso nos acomodan..., y la verdad, es que no hay mucho de dónde escoger. Aunque eso implique abandonar nuestro pueblo para ir a cuidar niños extraños que paramos queriendo con toda el alma. Sí..., nacimos para servir, para lavar ajeno. O para el deadentro. Todo depende de lo que salga. De aquí salen hasta nodrizas. [Ríe.] ¿Cosa del pasado? No se crea... Fíjese que mi propia prima hermana, Lorena Aguablanca, amamantó en secreto a una nena recién nacida que cuidaba, bien rubia y flacucha la infeliz... Pesaba menos que un paquete de carne, ¿puede creer eso?

Y le salvó la vida a escondidas.

Hay muchas formas de morir, señor, pero la muerte en vida es la peor. Figúrese que a veces hacemos comida que no nos dejan comer. Nos ponen el uniforme y la gabacha que la patrona decide, sin preguntarnos, aunque odiemos el color... ¡Bendito color! [Pensativa. Dirige su mirada al platanar que les da sombra y se detiene en un gusano que deambula en un doblez de su tronco.]

Por ejemplo, yo detesto el amarillo, ¿sabe?, me recuerda unas flores de ese color con las que me envenené de niña, agonicé durante días, casi me muero y una patrona me obligó a usarlo. Le vino sin cuidado que cada vez que me lo ponía vomitaba sin remedio. ¡No hay derecho! Disculpe que me pare, pero me regresa la vasca. Mire cómo me pongo...

La vida es una baba... Nacimos para alimentar a otros niños sabiendo que los nuestros pasan hambre. ¿Qué le puedo decir? Encima hay que rogarlos hasta que se terminen toda la comida. ¡Ni el postre se quieren comer! Yo he cuidado a muchos niños y soy buena para eso. Es que me encariño rápido. [Ríe.] Me ha tocado estar horas sentada ahí para que se coman la verdura o la carne. Y que conste que yo no tengo... Mire estos muchachitos jugando. Unos son mis hermanos, otros mis sobrinos. ¿Los ve? Todos deshilachados... Mis cielos. Los dos canastos que ve colgados de aquel árbol, en el eucalipto roto, amparan a dos recién nacidos para que duerman con el airecito y no haya tacuacín que los alcance. Un patrón muy bueno, que era dentista, decía: el dolor es la dignidad de la desgracia... Me lo memoricé muy bien, como el número de celular de Candelaria... Pero, ¿de qué sirve la dignidad? Puras mierdas.

Y que conste que no me estoy quejando. Hay casas buenas y patronas buenas, pero..., las cosas como son.

Con Candelaria Aguablanca juramos no tener hijos. Y mire que no hemos fallado. Es que las Aguablanca tenemos palabra. Además, si quedamos embarazadas, nos echan a la calle... Eso a pesar de que las patronas van a misa todos los domingos y tienen el favor de los santos. Como si estuvieran más cerca del cielo que nosotras. Por eso Dios me da mala espina.

Nacimos para dejar nuestra vida a un lado y vivir una ajena..., una que no es nuestra aunque nos engañemos creyendo que sí. Figúrese que algunas de por aquí vienen todas orgullosas diciendo: soy parte de la familia... Eso hasta que las echan a la calle con tal de no pagarles su tiempo. Hasta que se inventan que robaron algo para asustarlas con el petate del muerto. Usted no sabe..., trabajar en casa no es así nomás. Solo el que carga el costal sabe lo que lleva adentro. Aquí nos enseñan a hacer calladas nuestro trabajo, como si no existiéramos. ¡Sí! Nacimos para ser invisibles..., como espíritus de la noche. Y es que a veces hasta nos hacen aguardar los platos y cubiertos aparte, en un trinchante, con tal de que no se mezclen... Hay que esperar a que coman primero para luego hacerlo nosotras. Son las reglas. A veces una está muerta de hambre y, peor si hay visitas, hay que soportar sus eternas sobremesas hasta recogerlo todo primero y después sentarse a comer, ya sin ganas. Nos vamos marchitando poco a poco. Dicen que los pobres envejecemos antes..., ¿será cierto eso? Oímos sus historias importantes de gente importante calladas la boca. Aunque vea usted..., mire a ese señor Lars ¡acusado de asesino! ¡Preso! Es que no lo puedo creer todavía, hasta me pellizco para saber que no estoy soñando. Y tan buena gente que se miraba el hombrón. Es que no se sabe a qué casa va a parar una..., y mi pobre prima Candelaria tan feliz que se le miraba con ellos. Le regalaban de todo y la trataban como a una reina. Hasta cocina nueva le había hecho el patrón... [Se pone de pie repentinamente.]

Vea qué lindo ese pájaro amarillo... ¿Lo mira? La gente de por aquí dice que son almas en pena. Las que se murieron sin haber pedido perdón. Sin guindar los bártulos de su camino y llegar al otro lado con dignidad, supongo. Últimamente aparece por aquí y me tortura..., todavía no doy quién es. ¿Será un mensaje? Seguro que anda un muerto cerca. [Pensativa.] Hay gente que les tiene miedo a los pájaros porque avisan cosas. Yo no. ¿No será doña Teresa, esa que usted anda buscando? [Ríe.]

Es que aquí todas somos supersticiosas y llevamos siempre el amuleto de Lila pegado al pecho. Pero también nos burlamos de la vida, no se crea. ¿Qué más nos queda?

Por acá, pasan nubes de azacuanes una vez al año.

Es que van viajando para el sur. Para otros países. Son ríos negros haciendo círculos en el cielo con sus alas. Y entonces todo se oscurece, tapan el sol y hacen una enorme sombra sobre este pueblo. Hasta candelas hay que encender. Y después del espectáculo, lo dejan todo cagado. Sí, como si hubiera pasado una tempestad de mierda. Me río porque todas siempre decimos lo mismo. Eso es por ahí por septiembre, para avisar que las lluvias se van. Entonces hacen gran fiesta mis paisanos. En El Caimán, ahí en el salón municipal... Nosotros no, porque no alcanza.

Una vez entró una amiga de la señora donde trabajaba, ahí por la Reforma en la esquina de la tienda grande, ¿conoce? Me miró por encima y me dijo: como no hay nadie, mejor me voy. O sea que yo, soy nadie.

¿Quién no se somata el pecho? ¿Quién no machuca sus propias sombras? Hay que agachar la cabeza, al menos así nos enseñaron. Sobre todo cuando hay luna llena. Eso no lo sé, pero aquí así dicen. Que no hay que contradecir a nadie con luna llena. Tampoco pelearse ni cortarse el pelo. Yo hago caso, a toda honra, porque el respeto a la naturaleza es el respeto... Una vez trabajé con una señora... que jamás me dejó probar un trozo de carne, aunque sobrara. Eso era igualarla, dijo... Cada mico en su jaula, mija, no sea y te acostumbres. [Ríe.]

Aguarde, que esto se pone bueno.

Nos cansamos para que los patrones descansen. Nos desvelamos para que ellos se diviertan. Dejamos nuestros problemas a un lado para vivir su historia. Y encima, ¿paramos pagando por sus pecados? ¿Purgamos sus culpas? Si no, mire a la pobre Candelaria..., ¡mi amada prima que solo Dios sabe dónde la tienen! Pero no se crea que lo que le digo es por resentimiento, simplemente le estoy diciendo las cosas como son. Todo por lo que es una paga que no alcanza. Y a mí que me han operado tres veces en un cuchitril... Y tengo reuma de tanto planchar. No señor, si yo soy testigo de lo que nos toca enfrentar. De lo que duele esta pobreza de mierda. Y tengo recuerdos aunque se me borran a veces... Van y vienen..., como neblina en la madrugada. Pero le voy a contar lo que he visto con estos ojos que se han de comer los gusanos.

¿Usted tiene muchacha?

No es que quiera asustarlo, pero creo que vino al lugar equivocado..., aunque sea policía... Perdón, detective. Pero corre peligro aquí. Las cosas están revueltas por estos lares. [Se pone de pie.] ¿Quiere un refresco de plátano?

No se crea, este pueblo no es cualquier cosa. Solo que cuando no llueve todo se seca, las milpas se mueren de sed y la gente sin comer. Véalas..., las gallinas todas flacas, los chompipes escurridos y los

chuchos parecen costal de huesos. Y los muchachitos... Una hace lo que sea con tal de salir de esta
pocilga.

¿Y cuando llueve? Cuando llueve se cae el cielo y
lo inunda todo, lo mata todo, lo ahoga todo. Hasta
las montañas se vienen con ríos de lodo encima de
la gente. Y los que se mueren son siempre los más
pobres.

Usted que trabaja con el gobierno, vergüenza le
debería de dar. Yo no podría enseñar la cara.

Antes era mucho más bonito. Íbamos a jugar
al parque los domingos, cuando no teníamos que
trabajar. Aunque usted no me lo crea..., y mire
que me persigno..., ahí, en el patio del Palacio
Municipal hay un pozo no muy hondo con su reja
de hierro donde vivió un enorme caimán durante muchos años. Sí, un caimán vivito y coleando.
Con la Candelaria le tirábamos cosas... Se retorcía
con su cola como de piedras. Cuando se murió,
hasta el pastor asistió, porque el pueblo entero
estaba de luto. Viera lo que costó sacarlo de ahí,
todo raquítico el pobre. Ese día, en medio de la
congoja, el alcalde propuso ponerle a este lugar:
El Caimán y, aunque los trámites siguen su largo
camino en la capital, aquí así le decimos. Antes, a
toda esta zona le decían El Chol. Por eso nos dicen
choleras y no sabe cómo lo odio. Con el alma.
Ahora eche un vistazo lo harapiento que está.
Hasta la campana de la iglesia se robaron unos
ingratos sin fe. Ahí, a la vuelta del parque, a la par
del hotel donde usted se está quedando, se la pasa
el Jonás, un traficante que le ofrece cualquier cosa.
Tenga mucho cuidado con él. Dios sabe por qué

no les dio alas a los alacranes. Nosotras sabemos divinamente quién es, pero no nos metemos en problemas y él nos deja tranquilas. El respeto al derecho ajeno es la conservación de los dientes, dicen por aquí. [Ríe.] Vende películas y programas pirata, pero eso es lo de menos, pura pantalla, porque a la larga eso de la piratería le hace bien a la gente pobre. Ofrece todas las cosas que usan ustedes los ricos, solo que a mitad de precio. Puro contrabando. Promete desde licuadoras, zapatos de marca y hasta carros, de seguro que robados. Es un pícaro el desgraciado... ¿Y quién lo va a venir a agarrar a este pueblo? Se escabulle como serpiente y la gente se pone de su lado. Imagínese que hace documentos falsos y tramita visas postizas para el norte y resulta que devuelven a los pobres muchachos engañados con una mano adelante y otra atrás. Y a veces hasta los matan. Aunque, para qué le voy a mentir..., a mi hermana Regina sí la ayudó y vive como reina en los Estados. [Duda si continuar.] El Jonás fue enamorado eterno de Candelaria, pero ella lo dejó hace tiempo, una vez que él le puso la mano encima y la Candelaria lo mandó al hospital. ¿Que si lo quiso? No creo que la Candelaria haya querido a algún hombre. ¿Que si habla con él? Eso no puedo responderlo. Mire que ese Jonás bajaría mil veces al infierno para complacerla. La última vez que ella vino con su patrón, don Lars, y la niña Angelita... ¿Perdón? Es que la acercaban al Caimán cuando ellos iban para el lago..., sí, ese lindo que queda cerca del mar..., debería darse una pasadita. Pues el Jonás casi se muere de la rabia. Por poco y los va a buscar con sus matones. Aunque, para qué le voy a mentir..., luego se hicieron compadres, don Lars y el Jonás. Pero de eso yo no sé nada. Lo que sí sé es que ese Jonás es de tenerle miedo. Y si se entera a qué vino usted al Caimán, en serio que lo mata. ¿Cómo? Esa vez la señora Teresa no vino porque estaba en la iglesia. Yo también he tenido patronas que se van de retiro a darse duro en el pecho. Recuerdo que la Candelaria me contó acongojada que don Lars peleaba a gritos con doña Teresa para ponerla en cintura, porque no le obedecía, que se la pasaba pegada al cura todo el tiempo, pero no había modo de que cambiara la bendita doña. Que se encerraba por días en su cuarto sin abrir. Él era tan alto que no pasaba por la puerta de esta casa. Para colmo de males, aquí todos somos chaparros. Y es que la pobre Candelaria estaba traumada con esa niña. Mirala toda triste mi pobre tortolita, me dijo mientras Angelita se ensuciaba con un mango y don Lars tomaba una limonada antes de irse.

Y es que aquí las cosas no son nada fáciles..., por eso nos vamos de sirvientas. ¡Ya ni se puede andar en la calle! La abuela Lila, la que nos crió a todos, decía que ser empleada o soldado eran caminos directos hacia la gloria. Cama limpia, comida en el plato y algo que coger por ahí. Aunque odia a los militares desde que entraron a las casas y se llevaron a la fuerza a sus muchachos para el servicio. Matazinga han hecho con la gente. Pero eso es pasado... Y ahora tengo cinco primos soldados. Mejor me río.

Vine a este mundo, un 28 de febrero.

¿A qué jodidos?

Justo en la casa que ve a mis espaldas. Con sus dos ventanas, como ojitos dormidos. En su piso están apuñuscadas mis sombras. Rompí en gritos a las tres de la mañana, de ahí mi costumbre de madrugar. Es que no me gusta que se me adelante el día. Esa noche, según contaba mi madre, cayó una tormenta de señor y padre nuestro... Eso le sirvió a la comadrona para predecir este destino tan revoltoso que me tocó... Y bueno, vivimos en una familia con un montón de hermanas y un puñado de primas. Los hombres aquí, casi ni cuentan. [Ríe.] Como ve, todas las casitas dan al mismo patio. En esas dos viven mis tíos, Vitalino y Policarpo, con una sarta de críos cada uno y mujeres que cambian como si fueran calcetines. La de atrás es la de mi papá. La del fondo es la de Lila. La de ahí es la de Candelaria y sus hermanas. Y esa puerta, como escondida, abre al infierno de Virginia. En esa pila lavamos todas a la misma hora llueva, truene o relampaguee, y ahí se entera uno de los chismes del Caimán. Ahí me enteré de que Bernardo, mi hombre, andaba con todas las patojas del pueblo. Que había embarazado a dos. También han nacido muchachitos en pleno lavadero, y Lila..., Lila se ha dado su gusto revolcándose con algún amante en el fregadero con los pies entre el agua y el olor a jabón de coche impregnado en sus entrañas. Y es que en este caserío todos somos parientes. Nos corre la misma sangre por la venas. Las mujeres somos muy unidas desde niñas, porque aprendimos a sobrevivir juntas. Las Aguablanca nacimos con una pequeña mariposa negra en la rabadilla, roncamos más de la cuenta, bailamos como trompos, somos sonámbulas hasta los trece, tenemos buenas nalgas y estos chingados ojos chinos nos delatan.

Por eso, si usted quiere saber algo de Candelaria Aguablanca, vino al lugar equivocado. Con ella hemos sido uña y mugre... jamás la traicionaría. Imagínese que en cuanto mi patrona se enteró de la desaparición de esa señora Teresa, me echó a la calle como a un chucho sarnoso. Me preguntó mil veces que si yo sabía algo..., no dije ni mierda. Y no me pagó la condenada. ¡Sí! No tengo por qué mentirle, Candelaria me llamó ese día. Como todos los días anteriores. Pero no pienso decirle lo que hablamos. No voy a hacerlo. ¿Lo haría usted? Antes muerta.

Mis papás eran de creencias muy antiguas, como si el tiempo jamás hubiera pasado por sus vidas. Como si hubieran nacido viejos. Como si se hubieran quedado atrapados en la arena movediza que hay cerca de las charcas. Siempre nos tocó muy feo. Nos dieron solo primer grado de estudio y mi papá ya no quiso que siguiéramos a pesar de que don Marcial, el dueño de la finca de café La Milagrosa, hasta lo vino a amenazar con meterlo preso si no nos dejaba seguir en la escuela. Son mis hijas y yo hago lo que se me dé la chingada gana con ellas, dijo. Igual hicieron con las otras, que entre hermanas y primas, ya le dije, somos un montón. A veces ya ni sé quién es quién. Tal vez porque, a fin de cuentas, somos hermanas de leche..., es que dicen que fue Lila la que nos amamantó a todas. Mi mamá y mis tías siempre fueron débiles.

Mientras vivió don Marcial, todo era orden por aquí. Adoquinó las calles, pintó los edificios antiguos que dicen que vienen desde la época de Tata Lapo. Puso un centro de salud y la escuela a la que ya no pude llegar. Hasta trajo el caimán..., contaban en las noticias que se transmitían por altoparlante desde el atrio de la iglesia, que lo había vencido él mismo en una batalla cuerpo a cuerpo, cerca de los manglares. Y yo lo sigo creyendo. Me encanta imaginarlo. Sí, recuerdo que para Navidad colgaba piñatas con dulces en la plaza. También traía un circo: Los Hermanos Pinzón. Los niños entrábamos gratis. Me encantaba ver a una mujer muy gorda luchando contra un hombre muy pequeño..., imagínese que la pobre tenía barba y bigote de verdad. O a la niña araña que bailaba cumbia en el escenario.

Pero si no llevábamos suficiente para mi papá, nos castigaba y no nos dejaba ir a la función. Yo soñaba con irme con ellos y hacer la de trapecista. O de sirvienta de la gorda.

Ahora los nietos de don Marcial ya están viejos y andan por ahí haciendo fechorías. Nada que ver con su abuelo. Figúrese que hasta se llevan engañadas a las muchachitas que caen como moscas con tal de ir a dar una vuelta en carro fino. [Se persigna.]

Había un cine aquí en este pueblo que se llamaba Ramo de Uvas. Mis primas y yo trabajábamos entregando plataninas, sí, rodajas bien delgaditas de plátano fritas. Cuando terminaba la función, nos metíamos debajo de las sillas y tarimas a recoger la basura y a veces encontrábamos fichas que era lo que nos ayudaba a sobrevivir... No se me olvida que había un señor horrible que llegaba los viernes con todo y su familia. Unas niñas bien emperifolladas y lindas que nos miraban con desprecio, como mierda. Pues tiraba una moneda entre los tablones y cuando uno se encuclillaba para recogerla, resbalaba la mano para manosearnos. Y se daba su gusto el maldito. Nunca voy a olvidar esa cara de diablo... Pero Candelaria escupía sus plataninas. Perdón que me ría, pero cada vez que lo recuerdo...

¿Y qué hacía uno? ¡Pues recoger la moneda! Nadie tiene ganado el cielo, ¿usted sí?

Candelaria Aguablanca siempre fue la más suertuda y la más inteligente de todas. Y por mucho. Desde chiquita no se le escapaba una. Recuerdo que se las ingeniaba para cortar los jocotes de los palos de la finca sin que el caporal se diera cuenta. Era lista para robar. Una cabrona esa mujer. Íbamos a la tienda La Evangélica Cristo Rey y mientras yo distraía a don Cornelio, el dueño, ella se jalaba una bolsita de dulces de colores. ¿Y qué hacía uno? Siempre me quedó la sospecha de que ese buen hombre se hacía el loco. Además quería especialmente a la Candelaria.

Deseábamos, como nada en este mundo, seguir estudiando; entonces trabajábamos ahí en el Ramo de Uvas mediodía. Y vimos de todo. No se imagina... Desde hombres con los pantalones hasta las rodillas haciendo sus cochinadas, hasta bebés recién nacidos acurrucados debajo de las butacas haciendo la siesta sin inmutarse por la balacera de la película. La primera fila estaba reservada para los enanos, es que fíjese que hay un pueblo vecino repleto de personas pequeñas. Yo, hasta un cuñado tuve, porque mi hermana Salvadora enloqueció por uno. En galería mataron a un alcalde y nacieron varios muchachitos. Y pidieron a muchos también. Recuerdo que una vez llegó el papá de una muchacha que hacía de las suyas con el novio en la última fila de platea. Con cuchillo en mano... Lo clavó en la espalda del enamorado y se desangró ahí mismo. Fue un escándalo de padre y señor mío. Y a nosotras nos tocó limpiar. La sangre huele como a hierro oxidado... ¿qué será? Otra vez hubo un temblorón y varios salieron en calzoncillos a la calle con la pareja equivocada. [Ríe.]

En las mañanas torteábamos como un quintal de maíz y vendíamos comida a los jornaleros de la finca de don Marcial, donde mi papá trabajó como operador de tractor toda su vida. También crio palomas el desdichado, pero para un temporal se le murieron todas de frío. Dice la gente que fue mal de ojo. Quién sabe..., mi papá se lo merecía. Eran alfombras de palomas todas muertas, y después las barrieron y las quemaron como en un volcán. Viera el apeste.

También crio abejas para miel, pero fracasó de nuevo ni una miserable cucharada sacó para nosotras.

Teníamos que entregar comida, hacíamos frijol volteado, huevos duros y una salsa de tomate que sabía a gloria. A veces era muy peligroso porque éramos niñas todavía y nos tocaba irnos entre el monte a entregar los encargos. Como si fuera poco, el dinero que ganábamos no le daban buen uso porque mi papá se lo quitaba a mi mamá. Pobre mi mamá, tan débil.

Estuve mucho tiempo trabajando en ese cine. Me pagaban un peso a la semana y..., muy difícil la vida. ¿Puede creerlo?, yo era niña todavía y ya estaba cansada de vivir. Toda triste y esmirriada. Recuerdo no sentir nada. Estaba como vacía. Ahí llegaban muchos jóvenes. Llegaba gente borracha y a veces..., yo tenía ocho años y me costaba mucho porque había, como ya le comenté, personas malas que lo quieren dañar a uno. Hasta extranjeros que les llamaban los gringos y se aprovechaban de los niños. Como necesitábamos el dinero, nos obligaban a entregar cigarros, bebidas y cosas así. Incluso hubo dos hombres que nos dijeron, a la Candelaria y a mí, que nos fuéramos con ellos, que tenían algo mejor para nosotras. Para qué le voy a mentir, estuve a punto de irme con uno que me tomó de la mano..., tal vez me hubiera ido mejor..., tenía ojos como de cielo y yo estaba tan hipnotizada que hasta las alas le vi. Pero Candelaria agarró una de las tablas flojas del graderío, que tenía un clavo en la punta, y la reventó contra su cabeza. Salimos corriendo y fue cuando ella me juró por primera vez que nada nos iba a pasar nunca más. Que no me iba a dejar sola, que ella me iba a cuidar, que íbamos a ser muchachas de casas finas y que no íbamos a pasar hambre. Y me lo sigue ofreciendo, ¿sabe? Hace poco me lo volvió a jurar. Dice que me va a sacar de aquí. Que vamos a vivir como en las películas del Ramo de Uvas que mirábamos. Que me va a comprar un vestido corto para lucir las piernas lindas que tengo y conseguiremos la visa para irnos juntas al carajo.

Que don Lars nos tiene que ayudar. ¿Cuándo me dijo eso? No recuerdo. [Se detiene.]

Ese día, el día en que Candelaria le reventó la tabla en la cabeza al gringo, llegó a buscarnos el único policía del Caimán pero Lila lo embrujó y lo metió a su cama en un dos por tres. Nosotras oíamos en la pila que la abuela era una arpía, que le encantaban los hombres ajenos más de la cuenta, pero no entendíamos en realidad. Hasta ese día en que nos salvó el pellejo... Gemía como cuando están matando un marrano. Nosotras lo vimos todo por la puerta entreabierta. Como si ella lo supiera y nos estuviera haciendo pagar un castigo... Se revolcaron hasta el cansancio durante mucho tiempo y, después, los gritos otra vez..., y nosotras ya nos habíamos preocupado. La apercolló contra su armario y parecía chirimía haciendo bulla. Para nosotras era como si el policía la estuviera matando. Y cuando caía al piso desmayada, él tocaba el gorgorito que le colgaba del cuello y ella volvía a revivir. Vaya forma de enterarnos de qué se trata la vida. Porque nadie nos había dicho nada, todo había que averiguarlo solas. Qué pena contarle esas cosas... El policía no nos acusó, pero le dio por llegar todos los días hasta que dejó a la pobre Lila como piltrafa, toda ronca de tanto gritar. ¿Ya le dije que ella nos crio a todos? Era divertida. Nos bañaba en ese patio que tiene usted ante sus ojos. Nos ponía desnudos contra la pared, como un paredón de fusilamiento, y nos lanzaba guacaladas de agua fría, casi congelada. Nos mandaba a comprar cigarros, de dos en dos, y se los fumaba con un octavo de guaro en la mano. ¿Perdón? [Se detiene.] ¡Ni lo intente!, Lila no querría hablar con usted ni por asomo..., está de pésame por lo que le pasó a Candelaria. Además, no sea y pare revolcándose en su cama. Le encantan los policías, perdón, detectives.

Varias veces la han venido a buscar guardias de otros pueblos, y hasta un alcalde, pero ella siempre se las arregla para salir campante. Ahora, con el asunto de Candelaria, hasta se enfermó. Anda como un fantasma buscando su alma. Es que es su consentida. Pero ha sido generosa con todas. Nos ubica en buenas casas y a cambio le tenemos que dar una parte de nuestro sueldo al mes. Su diezmo, dice ella; al menos para comer después de haberlo sacrificado todo por ustedes, dice, si no, ahí me van a venir a encontrar un día, y señala el cementerio con su mano larga apretando un cigarrillo sin filtro.

Tenemos que venir cada quince a reportarnos y a dejarle su plata. También a echarle un ojo a Virginia. ¿Qué quién es Virginia? Me conmueve decírselo. Mire pues..., es mi hermana mayor. Creció mal la desdichada. Se quedó muda desde chiquita. Como loca. Pero ella vive en su mundo..., como un quetzal enjaulado. Siempre triste. Y solo habla cuando se le da la gana. Una palabra nada más. ¡Quién no la envidia! ¡Yo sí! Pero cuando nos ve llegar a todas, se ríe, como si supiera... Se pone bien feliz y a veces hasta nos abraza. Si no la encierran se escapa y encontrarla es un martirio porque sabe cómo escurrirse en las montañas. Una vez la encontraron repleta de hormigas y, aunque usted no me crea, ni una le picó. Hay épocas, cuando se pone violenta, que se la pasa amarrada a un palo la pobre. Se mece como hamaca todo el tiempo y si no la trenzan bien, se arranca el pelo lindo que tiene. La gente dice que es porque mi papá le pegó muy duro de pequeña, que desde entonces ya no habló más y se refundió en su propio laberinto. Lila la cuida, pero cuando agarra parranda la vieja, se olvida de ella. Se ha quedado días sin comer y la hemos encontrado toda flaca, toda cagada. ¡No hay derecho! Mi papá ni la visita, ¿se lo puede creer?, teniéndola ahí a la par. Como muerta en vida. Es que eso me indigna. Y lo peor de todo es que la escondió para siempre por pura vergüenza. Es que de veras. ¡No tiene perdón de Dios!

Aprovechamos para juntarnos todas, no se crea... Para contarnos cosas que usted ni se imagina. Para seguir con nuestro pacto. ¿Que qué pacto? Ni lo pregunte, imposible decir ni una palabra... Criticar a los patrones es nuestro tema favorito, claro, les bajamos el cuero y nos ponemos al día. Estamos enteradas de sus pleitos, de sus amantes, de sus fechorías, porque si algún arma tenemos las muchachas, es la información. Lo sabemos todo, señor, no se crea. ¡Imagínese la bulla que el asunto de los patrones de Candelaria causó en este pueblo! ¡Ay Dios mío!... Es que no se habla de otra cosa. Pero bueno..., cuando nos juntamos, también bañamos a Virginia y la despiojamos y la vestimos con ropa limpia. Tomamos el clandestino que Lila esconde detrás del poyo, hasta que vamos cayendo como las palomas de mi papá, una por una. Porque a las Aguablanca nos encanta la parranda. Las que se atreven a robar, le dejan algún regalito que la hace feliz. Todas sabemos lo que le gusta a Lila. Tiene un armario de madera sin pintar, como si fuera una caja de muerto parada, en donde aguarda sus tesoros. Ahí hay tijeras finas, que le encantan, varias campanitas de esas para llamarnos a las sirvientas, aretes de todo tipo prendidos a un cartón, medallas de una fila de santos y vírgenes, aunque ella no crea en nada, una caja con anillos de oro o plata porque odia las réplicas, pelucas, cadenas, sombreros de playa que ni se usan por acá, saleros, tenedores y cucharas como para servir una mesa completa, relojes, madejas de lana, una pipa..., y mejor no sigo..., tiene hasta anteojos con graduación que no le sirven y una cajita de música que es la atracción, esa creo que se la trajo Candelaria. Y cuando se emborracha la saca, le da cuerda hasta el tope y se queda profunda sobre la mesa con la musiquita de fondo. Lleva la llave prensada entre sus pechos, que son bien grandes, y dice que cuando se muera solo la metamos en ese armario, que está hecho a su medida, y que la enterremos con todo. ¡Imagínese enterrar a alguien en un armario! [Ríe.] También dicen que lleva la llave del cementerio ahí metida, pero eso no me consta. ¡Imagínese la llave del cementerio! Ella nos defiende si nos acusan de algo. Siempre nos salva el pellejo. Sobre todo el de Candelaria. [Pensativa.] Habla con don Cornelio, el dueño de la tienda. Él le presta el teléfono, ella hace sus llamadas y listo, tenemos nueva casa. Después se esconden detrás de la cortina de manta para amarse como siempre..., y Lila tiene que morderle fuerte el brazo al pobre para no espantar al pueblo entero con sus gritos de cerdo en ascuas. Ahora nos tiene que ayudar de nuevo, porque nos echaron a la calle por el problema de Candelaria. Salvadora, mi prima, nos ayuda con algo, pero eso es cosa aparte.

Hay quienes nacimos para sufrir. Solo Dios sabe por qué. Siempre me pregunto por qué unos nacen sin nada y otros nacen con todo, en cuna de oro, le dicen. Mi papá me pegaba mucho. Y no me quedaba más que recibir los pencazos..., el pez grande se come al chico. Siempre se la llevó en contra de mí, ¿sabe por qué?, porque cuando yo nací, él conoció a una mujer. Se enamoró mucho de ella pero ya no pudo dejar a mi mamá. ¿Sabe que me puso su nombre? ¡Imagínese! Me llamo Socorro por ella. Por esa puta que hizo sufrir tanto a mi mamá. Eso jamás se lo he perdonado. ¿Debo llevar esta cruz de por vida? ¿Hasta un nombre que odio?

No sé ni cómo uno aguanta tantas cosas. Empecé a buscar trabajo en los restaurantes para salirme de ese entorno donde estaba porque, como le repito, era muy difícil vivir con personas desalmadas que lo quieren dañar a uno. Lila me entretuvo con trabajitos aquí y allá mientras cumplía unos quince, la edad de merecer, repetía. Eso dice la ley, que no podemos trabajar antes de los quince..., puras mierdas. Primero probé en la carnicería... Sí, la que está en la entrada. Su dueño, don Rosendo, era buen patrón, amigo de infancia de Lila. Me recibió con cariño porque seguro se recordaba de las tetas de mi abuela. Pero mi trabajo consistía en ir a buscar perros, gatos y conejos a las calles... al monte... mientras la gente hacía su siesta. Solo de recordarlo..., se me eriza la piel, vea. Él los despellejaba en el patio trasero y me hacía lavar la sangre con una manguera. Con el cuchillo en la mano, me hizo jurar silencio. Le obedecí..., hasta hoy que lo saco. Mientras, los destazaba y hacía trozos perfectos que confundía entre la res. Hasta ratas mezclaba para engañar a la gente... [El fiscal auxiliar, Eleuterio Amado, se levanta bruscamente de la silla blanca de plástico. Se topa con una rama del platanar. Pide, con urgencia, indicaciones para ir a la letrina. Vomita.]

Todos los sábados don Rosendo mataba coche. Usted no se imagina lo que eso era. Una fiesta. Hacía chicharrones que venían a comprar hasta de otros pueblos. La sangre lo pringaba todo... El cerdo agonizante tenía mirada de niño. Entonces yo no dormía durante días, hasta que llegaba el próximo infeliz. ¡Ay Dios!... Se me para el pelo. ¿Ya se siente mejor?

El amor nunca muere de hambre. Cuando pusieron la primera estación de bomberos en El Caimán, que don Marcial inauguró hasta con cámaras de televisión que vinieron de la ciudad, todas esperábamos al bombero de una película que vimos en el Ramo de Uvas. Ya teníamos como trece. El alcalde le enseñó el pueblo, le alquiló cuarto en el centro, creo que ahí mismito donde usted se está quedando, para ver si se acostumbraba el infeliz, aunque este no era mal pueblo para vivir, le digo... Todas nos pusimos lindas para él. Y apostamos a ver quién era la primera en besarlo. Con Candelaria juramos compartirlo sin celos... porque no nos íbamos a pelear por un bombero, ¿verdad? Y así fue. Candelaria era aguerrida, fuerte, capaz de todo. Y dice que me va a sacar de aquí. Ya se lo dije ¿verdad? Yo era un poco más tímida aunque jamás fui tonta. La vida no lo deja a uno. Lila dice que somos muy listas gracias a tanta película que vimos en el Ramo de Uvas. Puede ser.

¿O no?

El muchacho no tenía nada qué ver con el bombero de la película, no se crea usted, algo más flaco y chaparro. Y le faltaban los colmillos. Pero era un cabrón. Un hijo de puta que no sabía nada de incendios, para ser más exacta. No pasaron ni cinco días sin que Candelaria se asomara a la estación. Tan campante mi prima. Se deslizó por la puerta trasera para revolcarse con él... Imposible olvidar... Yo lo vi todo. Ella me obligó a hacerlo. Me hizo jurar que no cerraría los ojos. Yo no quería. Iba a llover y el cielo se iluminaba de a poco. Destellos, les dicen... Ella se paró frente a él y le susurró algo al oído. Él le dijo: no tengo dinero, pero le puedo pagar la próxima semana, cuando me paguen. Pero la Candelaria le dio un tortazo en la cara y luego se lanzó sobre él. Puta, tu madre, le dijo. Y se le encaramó sin vergüenza. Puro los perros de la calle. Igual de salvajes. Le bajó los pantalones de cuero grueso, dizque contra el fuego, se agachó y lo besó como si estuviera chupando los dulces de la tienda. ¿Cómo sabía hacer eso? ¿Cómo aprendió? ¿Se lo hacía al Jonás? ¿Lo había visto con Lila? Luego él hizo lo mismo con ella... Y la tiró al piso y la montó como con cólera. Fue rápido pero esa noche yo no pude dormir. Al día siguiente Candelaria pasó por mí:

—Te toca —me dijo exaltada—, ya le dije y te está esperando.

—Creo que mejor ya no quiero.

—Pacto es pacto.

Pues bueno, más vale deuda vieja que culpa nueva... ¿Sabe? Candelaria no claudica ante algo que se propone. Nunca lo hace. Es bien terca y no le importan las consecuencias. Tiene cada cosa mi prima. Entonces me llevó jalada, a la fuerza, hasta los brazos del bombero, ahí en los matorrales de la finca, cerca del río que antes era limpio. Él no dijo palabra. Iba a lo que iba. Ni siquiera me preguntó cómo me llamaba. Yo sí sabía que se llamaba Bernardo. Me metió la mano debajo de la falda, luego se agachó y parecía que estaba escondido debajo de una campana...., después de lamerme toda, se me prendió del cuello como un vampiro, solo que sin colmillos. Succionó mientras su mano no me soltaba de ahí, me lastimaba, pero al fin de cuentas me gustó. ¿Y qué sabía yo? Y tras ese asalto tan doloroso, sentí alivio, entendí para qué tenía cuerpo y creo que él también, entonces me enamoré con locura. Mire que tonta... Fui su mujer, según yo, aunque él era el hombre de todas.

Candelaria Aguablanca y yo íbamos a entregar la comida a La Milagrosa en las mañanas y nos tocaba ir a recoger los platos en las tardes..., y se hacía noche. Ya como a las seis, ocho de la noche a veces, nos tocaba recogerlos. Ella hacía brecha para mí entre la pura maleza para llegar más rápido. Con un palo picudo en sus manos pequeñas. Yo la seguía a ciegas... Ya le dije que haría lo que fuera por ella. Varias culebras mató por mí. Aquí les dicen terciopelo y se arrastran entre el monte, invisibles las desgraciadas. Muchos jornaleros han muerto por una sola mordida... Los entierran rápido, sin velarlos, porque se inflan como globos gigantes y no hay caja donde quepan. [Frota sus brazos.]

Nos quisieron violar en los cafetales que tenía la finca. Candelaria llevaba siempre los cubiertos en un canasto y, en la oscuridad de la noche, ensartó un tenedor en la espalda del infeliz. Porque entre nosotras siempre nos ayudamos. Cuando el hombre se retorcía, como una babosa con sal, Candelaria lo remató con una piedra en la cabeza:

—Merece que lo maten —murmuró.

Ya pasó mucho tiempo de esto. Y si lo mató, ya no hay mucho qué reclamar, ¿no cree? Aunque usted sea policía. Perdón, detective. Sueño seguido con ese desgraciado, ¿sabe?, lo tengo encima de mí, retorciéndose como un animal..., siento su aliento asqueroso y su sudor gotea sobre mi cara, que luego es sangre, entonces me despierto gritando. Seguro que no era su primera vez, la primera vez que hacía eso con las muchachas de por aquí, así que mejor muerto que vivo.

¿Usted tiene hijas?

[El Caimán parecía un pueblo animado y aunque su población no rebasaba los tres mil habitantes, siempre había gente en las calles. La mezcla de bruma con sol empañaba la vista pero una vez vencido el primer impacto, todo se volvía afable. Era mediodía, como las doce de un 25 de septiembre.

Su trazo colonial emergía del parque central, habitado por una fuente inconclusa, ovalada a medias, y con una especie de ballena retoñando de su fondo seco. Al lado, en el Palacio Municipal, un pozo vacío de boca ancha con reja cuadriculada en cuyo fondo habitó por años el caimán. Entonces los comerciantes instalaban sus ventas de comida o de pequeños caimanes hechos de barro, tela o pintados a mano. Una pinta imborrable decía: RECIBIMOS MÁS AYUDA DEL CAIMÁN QUE DEL ALCALDE. La iglesia sin campana, de un siglo antepasado, había sido saqueada de santos y cristos. El eco de los rezos rebotaba en sus paredes. Cada vez estaba más desierta por la competencia de otra religión que cautivó a los creyentes con mejores ofertas redentoras.

Más allá de las cuatro pequeñas arterias adoquinadas, todo se perdía en barrancos, montañas y laderas habitadas por caseríos, como islas. Doce en total. Desde lejos parecían finos hilos sus caminos pero en invierno se desdibujaban. Candelaria procedía del más cercano, del caserío Aguablanca. Partiendo del parque, había que caminar un par de kilómetros entre el lodo o el polvo para llegar. Dependiendo de la temporada. En las laderas montañosas, no muy altas, se encontraba una enorme finca de café, La Milagrosa.

El fiscal auxiliar arribó preguntando por el Hotel la Luz. Fácil dar con él. Se registró sabiendo de antemano que sería el único inquilino. La habitación no estaba nada mal. Salpicó su rostro con agua fresca, abrió los primeros dos botones de la camisa para relajar el cuello y se lanzó a los preparativos de su oficio. Revisó tres veces la grabadora, contó los papeles de su carpeta y colocó la fotografía de Teresa Montenegro en una escuálida mesita de noche que bailaba desalineada en el dormitorio. Sintió el impulso de besarle la frente, como lo hacía su madre con la imagen de la Santísima antes de dormir, pero no lo hizo. Justo mientras pretendía hacer una siesta ligera, el ruido de una marcha fúnebre lo despertó. Es un presagio, pensó. No tuvo más remedio que salir a la calle. Tenía hambre. La cocinera del hotel lo interceptó en la puerta:

—Si encuentra algo que le guste yo se lo cocino. Aquí no hay nada para hacerle.

Necesitaba aire. Con un papel sudado entre las manos preguntó al primer transeúnte por la dirección que buscaba. Ingresó a una tienda con aparadores bien surtidos, El Padrastro, y bebió con gusto una gaseosa. Escogió un pan dulce contorsionado y lo atragantó con anchas mordidas. Se secó el sudor de la frente y extrajo de su carpeta de cuero una fotocopia con la imagen de Teresa Montenegro. Al pie se leía: DESAPARECIDA. Pensó en pegarla en la entrada del Palacio Municipal, pero lo dejó para la mañana siguiente.

El sitio parecía tranquilo nada semejante a lo que le habían advertido. La hora de la siesta de un pueblo pequeño es sagrada, balbuceó sonriente. Recorrió la pequeña avenida principal. Se detuvo en una carnicería, Don Rosendo, y pensó que no era mala idea comprar unos filetes. Así lo hizo. Volvió a la cocina del hotel con un par de trozos suculentos que le prepararon con prontitud. Los degustó hasta el final sin dejar rastro en el plato.

Eran casi las dos de la tarde y el fiscal auxiliar recogió sus cosas para salir de nuevo con la información suficiente del caserío Aguablanca. Atravesó el parque central y, dos cuadras al norte, se topó con una pequeña plaza escoltada por una ceiba. Su arriate grande estaba bordeado por una reja de hierro macizo para evitar que los enamorados insistieran en eternizar su amor en el robusto tronco o los revolucionarios su inconformidad. La municipalidad de antaño dejaba entrever los brillos de sus tiempos en sus amplios corredores y pisos embaldosados. Entraba y salía gente. Había una oficina de telefonía en la esquina opuesta, justo al lado del Hotel la Luz, con un letrero: SE TRAMITAN CÉDULAS, LICENCIAS Y VISAS PARA LOS ESTADOS UNIDOS (PREGUNTE POR JONÁS). En el ápice de una colina se divisaba un colorido cementerio con su pequeña ermita en la entrada. Le daba toque como celestial. El cortejo funerario hacía una larga fila; desde la distancia parecían hormigas retornando al cráter de su hormiguero. La corta calle iniciaba con la Funeraria Ramo de Uvas y la Peluquería Bisexual: ATENDEMOS A HOMBRES Y MUJERES.

Eleuterio Amado prestó atención a un comedor abierto a la plaza, a un costado de la iglesia: TENEMOS HIELO FRÍO. Estaba invadido por un contingente de hombres sin mujer que, al parecer, no hacían más que perder el tiempo. A su paso cundió el silencio. No tuvo más remedio que recular, arrepentido de haber dejado al teniente Fuentes en la entrada. Tras darle unos billetes arrugados, lo incitó a que tomase unos días libres. Yo camino, dijo incisivo, que en estos pueblos hasta los matones están cansados. Quería estar solo. Le sorprendió el consultorio de un dentista, La Risa de Sol. Frondosos dientes con incrustaciones de estrellas o medias lunas doradas esbozaban en el muro de la entrada. Dibujos como de niño, pensó. Vaya que aquí hay de todo, masculló para sí, se ve que este lugar no es cualquier cosa. Topó en el Callejón de las Ratas y dio la vuelta. Detestaba las ratas con tal furia, que solo con escuchar nombrarlas se le arruinaba el día. Como víctima de un embrujo daba vueltas y terminaba en el mismo lugar. Le atrajo una tienda de botas de cuero de vaca luciendo unas en la vitrina iguales a las que tuvo cuando era niño. Pensó en su hijo que pronto cumpliría los diez y que comprarle un par no sería mala idea. Recorrió el Paso de la Llorona y dobló en una esquina derruida. Estuvo a punto de tropezar con un canasto poblado de jocotes marañón y una señora que hacía la siesta magullando la mercancía. Se le hizo agua la boca. Según las indicaciones del carnicero, había que empinar la cuesta rumbo al cementerio y bordear la colina más visible un par de cuadras hasta encontrar una casa en donde volver a preguntar. Solo espere a que pase el cortejo, porque es un muerto importante, le aconsejó sonriente. Se entretuvo en la siguiente esquina, ingresó a la tienda La Evangélica Cristo Rey, y bebió otra gaseosa. Conversó con don Cornelio asuntos de poca importancia mientras leía: SE ALQUILA TELÉFONO Y PESA. Le preguntó de qué se trataban las cicatrices de su brazo derecho, como de mordidas. Sin obtener una respuesta satisfactoria, paró comprando cinco cigarrillos sueltos, una carterita de fósforos y un paquete de baterías para su pequeña grabadora. Renegó de la marca, una que vendía baterías que no aguantaban más de una hora. A los pobres siempre les ven la cara, dijo.

A su paso lo rebasaron, entre nubes de polvo, dolientes vestidos de riguroso luto, cinco motocicletas y un par de mulas. Le ensuciaron su traje recién vuelto de la lavandería. En vano sacudirlo. Calculó las distancias. Bordeó la colina más visible y se alejó del poblado. Se arrepintió de nuevo, como de sus pecados, haberse deshecho del teniente Fuentes en la entrada.]

Pienso que los gobiernos son una mierda. Por acá desfilan uniformados para hacernos preguntas. Llegan señoritas bien peinadas o jóvenes de la caridad pero no respondemos o nos inventamos todo. [Ríe.] Algunas veces nos vienen a dejar bolsas con comida pero Lila se encabrona porque dice que si las mujeres nos comemos eso, vamos a quedarnos vacías por dentro, sin poder traer hijos al mundo...

Así pasó mucho tiempo. Candelaria salió de muchacha y yo me quedé sola en la casa. Me sentía desgraciada, como perdida, cuidando niños que entre hermanos y primos se multiplicaban sin parar. Para entonces trabajaba en el consultorio de un dentista que había dejado su carrera a medias, pero que tenía las manos de Dios. Se llamaba La Risa de Sol. Yo limpiaba los pisos y hacía los mandados que, en realidad, consistían en ir a la farmacia a comprar algodón, gasas, mercurio y, algunas veces, una botella de guaro. Cuando eso pasaba, él se quedaba roncando en su silla de dentista y yo apagaba todo para dejarlo llorar en paz. También pedaleaba su torno, como un triciclo. Puñado de pacientes tenía, todo el pueblo vino con él para arreglar su sonrisa. En sus tiempos libres pulía dientes postizos que parecían de verdad, como si los hubiera ido a sacar de los muertos del cementerio. No se imagina lo bien que le quedaban. Sus pacientes salían risa y risa de ahí. Yo le pedí varias veces que me botara los míos torcidos para usar unos de esos, tan chulos, como los de Candelaria, pero me dijo que no me alcanzaría esta y otra vida para pagárselo. Además me dijo de lo poco bueno que me han dicho en la vida: que tengo linda sonrisa. Así que me quedé con mis dientes chuecos y un día que llegué, él ya no estaba. Lo andaba buscando la policía al pobre. ¿Que qué hizo?, la verdad ya ni me acuerdo. Seguro porque no tenía título. O tal vez porque mató a alguien.

Luego de rogarle, aunque no había cumplido los dieciséis, la abuela colocó a Candelaria con los señores Mitchell. Desde entonces... empezó a cambiar. El mundo se me hizo migajas. ¿Cómo qué? Pues poco a poco se volvió más fina, vestida como una señora siendo tan joven todavía. Trataba a las demás con desplante. Ya nada volvió a ser como antes. ¡Ingrato destino! A Lila la tenía feliz porque le traía muchas cosas lindas. Mire, estos aretes me los regaló ella. Son de pura perla de mar. Por esos días el cine Ramo de Uvas cerró. ¿Se recuerda usted de la epidemia de cólera que arrasó con Oriente? Pues el dueño lo desvencijó todo a puro hachazo y con la madera de las tarimas y los tablones de galería montó un negocio de cajas de muerto. Hizo plata el fregado. Ahora tiene la funeraria Ramo de Uvas, a donde vamos a parar todos para que nos lloren. ¿Y quién me va a llorar a mí si ya no está Candelaria? A veces creo que ya hasta morirse es un desperdicio. Aunque cada día que va pasando, vamos dando un paso a la sepultura. Y se me hace que usted va corriendo...

Empecé a buscar trabajos en los restaurantes y me empleé con una señora que se llamaba María Leonor... pero ella solo me ponía a lavar los baños y pagaba diez pesos a la semana. ¡Pura esclavitud! La señora estaba enferma de odio y remataba conmigo. En las noches lloraba mucho y todo lo tiraba al piso. A mí me tocaba recoger el tiradero. ¿Sabe que me daba algo de lástima? También hacía cosas raras que daban miedo. Y se juntaba con personas y hablaban con los muertos o algo así... hasta movían cosas sin tocarlas. Le juro por lo más sagrado que vi volar una almohada y también escuché voces del más allá. Me encerraba a llorar porque los fantasmas siempre me han dado terror aunque, para qué le voy a mentir..., una vez estuve a punto de preguntarles por mi William... pero eso se lo comento luego. A veces me insultaba y hasta me lastimaba. Dolía más el orgullo, ¡no sabe cuánto! Es que duele aquí adentro... Una se siente un perro de esos callejeros que se patean sin lástima cuando se te acercan mucho. Pero yo no la contradecía en nada, ni por mula que fuera, porque imagínese el pánico que me daba esa mujer. Recuerdo que dormía en un catre sin colchón en la pequeña bodega que tenía una ventana pequeña. ¡Cómo miraba el pedacito de cielo con la esperanza de escaparme de ahí de la mano de Candelaria! Encaramarme en la luna con ella. Cuando la gente entraba a los baños, la doña quería que uno corriera a limpiarlos y dejarlos brillantes. No sabe cuánta cosa vi. Hasta un muchachito medio formado flotando en el inodoro. ¿Que qué hice? Eché agua y recé por él... [Se persigna.] Y cuando no lo hacía ella tenía una varita de bambú y me daba en las manos. Varias veces quise contarle a Lila, porque no quería seguir trabajando ahí. ¡Cómo extrañaba a Candelaria! Ella me hubiera defendido, ¡la que se hubiera armado! Es que a la Candelaria jamás le gustó que me hicieran daño. Siempre me protegió. Me acuerdo que mi papá me correteó por el patio y me agarró justo debajo de este platanar. Y me dio muy duro. Sí, por haber dejado el trabajo que nos servía para comer. No oyó mis razones. Tampoco vio mis manos, todas moradas y hechas huevo.

Cuando yo tenía unos quince años conocí a otras personas y comencé a trabajar de cocinera. A lavar trastos para serle franca. Trabajé ahí como por un año pero el señor, el patrón, era muy abusivo. Sol Naciente se llamaba el restaurante que más cantina parecía. Había otra muchacha trabajando ahí y nos hicimos amigas. Conversábamos a escondidas porque ni eso nos dejaban hacer. Varias salieron preñadas y siempre las chantajeaba..., que si no se dejaban no les iba a pagar y que las iba a demandar porque habían robado. ¿Y a quién le van a creer?, decía el desgraciado. No se olviden que tengo mis contactos. Siempre las maltrataba y llegó un punto en que me empezó a tocar a mí... Entonces agarré fuerzas y le comenté a su esposa. Yo la conocía a ella, había sido vecina de un caserío que se llama Santa Clara. Era hija del maldito que nos manoseaba en el Ramo de Uvas mientras recogíamos una moneda entre los tablones, ¿se recuerda? Y la esposa me dijo, muy joven y cariñosa ella, que no iba a dejar que me pasara lo mismo que yo era muy especial y que sabía todo lo que su esposo hacía con las muchachas. Se acercó y empezó a acariciarme los hombros primero, pero fue bajando las manos. ¡Mierda! ¡Lo que es necesitar el dinero!, y un poco de cariño... Creo que hasta miraba todo lo que hacía su marido y le gustaba..., porque me decía muchas cosas acerca de cómo cuidarme para no quedar embarazada... Se llamaba Prudencia. ¿Prudencia? ¡Imagínese el nombre que le clavaron! Y yo le decía que por qué hablaba de eso y dejaba que el marido violara a las muchachas. Un día la patrona no llegó y él la pateó a la pobre compañera embarazada, se llamaba Melisa, y se empezó a desangrar en la cocina. La empujó y la pateó en el estómago y empezó a sangrar. Él salió campante y ella perdió al bebé. No había dicho nada a nadie la desventurada. Ella era muy joven todavía... [Calla.] En algunos tiempos de la vida no es bueno ser bonita porque los hombres se aprovechan de eso. Después le dijo que estaba despedida y le dio cuarenta y cinco pesos el maldito. Me dijo que no le comentara nada a su esposa o me pasaría lo mismo. Ese fin de semana le pedí a Lila que me hiciera un trabajito de esos que ella hace para algunas personas que llegan a buscarla y, aunque usted no lo crea, el hombre cayó grave en la cama sin que supieran qué tenía. Hasta al doctor de San Vicente llamaron. Y aquello que le conté..., se le pudrió. [Ríe.] Unas gotitas en su café fueron suficientes. Agárrese bien: ¡y ahora es el alcalde del Caimán!... El honorable alcalde Benítez. ¿Puede creerlo?

Muchas veces he tenido ganas de morirme. Pienso mucho en la muerte. Somos amigas cercanas. Además, la muerte me lleva ganas. ¿No cree que sería un alivio? Como dice Lila: la muerte debe de ser realegre porque, que yo sepa, nadie se ha regresado. ¿Usted cree en el más allá? ¿Existirá el cielo? Porque si hay infierno, yo ya lo conozco. Hay quienes creen en la reencarnación..., o sea que regresan a este mundo en otra persona o animal. ¡Tercos en volver! No lo he hecho por Candelaria, porque ella se muere si yo me muero..., además me prometió que pronto nos vamos a ir de aquí. Traté la manera de tomar pastillas, pensé en ahorcarme, en ahogarme en el río o algo así, pero en eso mi mamá se enfermó, se puso grave la pobre, y tuve miedo, para qué le voy a mentir. Nunca le encontraban qué era lo que tenía y mi papá no la dejaba ir al hospital. Además se la pasaba embarazada. Un día que llegaron los del centro de salud a la casa le dijeron que podía ser que tuviera un mal incurable en el estómago. Ella le comentó a mi papá..., cómo lloraba..., y él le dijo que quién le había metido esa idea, que las mujeres no se debían dejar tocar por los doctores. Y así estuvo un año la desdichada revolcándose en su dolor sin que mi papá pidiera ayuda, sin que hiciera nada. Esfumándose, enjutándose como una uva vieja dejando su pellejo regado en el colchón. Eso no se lo voy a perdonar jamás a mi papá. Como le conté, ella siempre fue débil. Nunca se atrevió a decirle sus verdades.

¿Qué si lo odio?

Yo tuve que buscar varios trabajos. Empecé a trabajar con una señora que me dijo que me iba a pagar en dólares. ¡Imagínese! Ella se llama Eneida, y yo conozco de dónde viene. Es la hija de una señora que tiene un putero en la ciudad, La Media Noche, se llama. Se casó con un chino buena gente y yo estuve trabajando con ella por más de dos años, pero era muy horrible trabajar ahí. Mejor me hubiera ido de puta con su mamá. Toda la vida había que usar desinfectante, limpiarse antes de entrar a la casa, bañarse y echarse el cloro en todo el cuerpo para poder entrar a trabajar con ellos porque ella decía que no quería enfermar a sus hijos. Que las indias traíamos enfermedades pegajosas. Llegó a un punto en el que había que desinfectar todo lo que yo tocaba. Entraba a las cinco de la mañana a trabajar. Trabajaba por día. Para colmo de males no me pagaba a tiempo. Y a los dólares jamás les vi el cacho. Pero ya le dije que la necesidad tiene cara de chucho. ¿Se recuerda una tormenta terrible que hubo hace ya varios años? Tenía nombre como de gringo... pues por los deslaves, que casi se comen el pueblo a mordidas, había que ir a dar toda la vuelta hasta el puente del tope, el que conecta con La Milagrosa, para llegar al bendito trabajo..., y todas las noches tenía que regresar. Si algo no le gustaba a la señora, me llevaba afuera y me decía: vete a bañar. Si el niño me abrazaba ella me gritaba, deja a mi hijo y vete a bañar. Había que limpiar hasta cuatro veces la cocina. Lo limpio había que limpiarlo de nuevo. Sí..., y me decía, apúrese negra, póngase a limpiar que para eso le estoy pagando, cholera. Me enoja tanto recordarlo..., porque yo me dejaba. ¡Ja!, si me lo hubiera dicho ahora, la mato. Todavía puedo escuchar esa voz de loca. Cuando llegaban sus amigos se ponían a tomar. Se burlaba del pobre chino, que no era tan mal patrón. Se reían de mí. ¡A quién le gusta que se rían de uno! Tiraba las cosas..., por fastidiar lo hacía.

Un día desaparecieron unos aretes y me dijo que yo los tenía. Revisaron todos mis tanates delante de los niños y yo ya no soporté tanta humillación. Me desesperé y fui de casa en casa a buscar trabajo. De tanto utilizar el cloro me había dado una infección en las manos y en los brazos que se miraba muy mal. Así que un día ya no llegué. Pero antes le dije al chino todo lo que hacía su mujer. Le conté todo lo que decía de él. Nunca me pagó la condenada, pero me quedé con los aretes.

¿Le conté que Lila sabe de plantas y remedios? ¡Cura todo! Ella dice que viene de la abuela de mi abuela y que es un don. Lo que pasa es que a veces..., hace cosas..., que bueno, yo mejor no me meto a decir nada, porque cada vez que la necesito ella me ayuda. A muchas les ha quitado el embarazo. Eso yo lo sé. La que también es buena para eso es Candelaria. Lila dice que mi prima heredó todo de ella. Que la alumna supera a la maestra. He visto cosas, para qué le voy a mentir, cosas que lo dejarían con la boca abierta. Lila dice que, más que sabiduría, todo está en la fe. ¿En la fe? ¿De qué putas sirve la fe? Aunque una vez llegó una señora muerta en vida a buscarla con unos dolores que le doblaban el cuerpo. Después de estar encerradas durante más de una hora en el cuarto de Lila, la mujer salió como si nada, matándose de la risa.

Yo sé mis cosas, no se crea, como por ejemplo que el zapote blanco da un fruto redondeado amarillento de sabor parecido al melocotón. Las hojas y la corteza contienen una como baba que se usa para dormir hasta a un elefante. Y lo he visto con estos ojos que se han de comer los gusanos. Aquí, en El Caimán, le dicen brujería, pero Lila se ríe porque asegura que tarde o temprano todos van a tocar su puerta.

De ahí empecé a trabajar con un doctor muy conocido, en la ciudad, don Emilio se llamaba. Y mire mi suerte... Tenía dos hijas lindas. Doña Margarita era fantástica y las niñas también pero el señor era un dragón. Era una gran casa... Yo hacía las camas, planchaba la ropa dejándola impecable porque, como le digo, era doctor. Lustraba los pisos, sacudía los muebles. La señora se peleaba con él y se iba a los Estados Unidos. Entonces dejaba a las nenas y, encima, me tocaba cuidarlas. Candelaria me consolaba. Hablábamos todas las noches, a escondidas, porque a mí no me dejaban llamar. Y así aprendí..., ya sabe, a usar el zapote blanco. [Ríe abiertamente.]

Y es que en El Caimán hay leyendas... Figúrese que dicen que quien mató a un presidente, hace un putal de años, venía de este ilustre pueblo, justo del caserío Aguablanca. Que de fijo era nuestro pariente el asesino. Tenemos la fama de que todo lo arreglamos a balazos. Por eso le advierto, no se quede mucho tiempo. Lo que sí es seguro es que nuestro cementerio es el más poblado de la región. [Ríe.]

Es que de seguro que a mí me ha tocado mala suerte. Tenía que regar las flores, arrancar las amarillas con espinas..., ¡y yo que detesto las flores! Casi me muero por su culpa. Ponía la mesa como de etiqueta y les servía la comida todo bien preparado. ¡Hágame el favor!..., como decían que él venía de los ingleses, había que servirles el té de la tarde en el jardín. ¡Imagínese! Y el hombre era más negro que mi conciencia. El tenedor de este lado, dos vasos, dulces, picar frutas. Mantel enyuquillado hasta que quedara como un cartón... Pero usted no me va a creer..., cuando llegaba la mamá de él, todo era más difícil todavía. La señora estaba enferma y no podía caminar, entonces había que cargarla y subirla a su cuarto. A veces me quedaba velándola toda la noche porque tenía miedo de morirse sola. ¿Acaso uno se muere acompañado, pues? Si nacemos solos y nos morimos solos... Y lo más increíble es que jamás me agradeció nada la infeliz, solo me torturaba con ofensas haciéndome sentir tonta. Era muy difícil porque pesaba mucho y había que subir todos los escalones hasta llegar arriba. Pues un día me tropecé y me quebré un diente. Ella rodó como una bola gigante de masa. Y no le voy a mentir, que hasta algo de gusto sentí... una especie de venganza sin querer, de maldad concentrada. Él me regañó tanto, estaba como un diablo, me maltrató con palabras gruesas..., y me dijo que no me iba a pagar por lo que le había hecho a su mamaíta, que me iba a demandar, a meter a la cárcel. Incluso tengo una marca aquí en el pie. Mire... Lo peor del caso es que me obligó a hincarme y pedirle perdón a la señora. ¡No se imagina lo que lastima la humillación! No quería hacerlo, pero necesitaba el trabajo... Y pedí perdón mientras la doña me castigaba con sus ojos de fuego. [Llora.] Al día siguiente agarré el bus y me vine a mi casa. Ojalá y se muera sola y deambule íngrima para siempre en el purgatorio, le dije con cólera de perro rabioso. ¡Es que no hay derecho! Y que conste que yo no soy una mala persona. Todos dicen que soy un pan de Dios. Fue cuando mi papá y mi mamá decidieron que me tenía que casar con un hombre que yo no conocía ni quería. Lo mismo habían decidido para la Candelaria. Mi papá nos decía en la casa que las mujeres solo servíamos para tener hijos: así son las patarrajadas, todo quieren que se les dé.

Recuérdese que con Candelaria juramos no tener hijos. Y lo hemos cumplido.

Estaba eso en mi mente, que no me iba a casar jamás. Mi papá me decía todo el tiempo: vos en el monte vas a estar, creo que ni casa vas a tener. En la tierra vas a ir a parir. Me enteré de que el muchacho de quien estaban hablando era mucho mayor que yo. Tenía como cuarenta años y yo como diecisiete. Era del caserío Tierra Linda. Sembraba flores. Yo no quería eso para mi vida. Además las flores me dan vasca desde el día que me envenené..., casi me muero.

Yo prefería el infierno a casarme. Al menos en el infierno uno se chamusca y ya. La sola idea de tener a un hombre encima con permiso de Dios, me mataba. Pensaba en Bernardo y lloraba de desesperación. Pero ellos empezaron a arreglarlo todo, lo mío y lo de Candelaria. Hablaron con las familias, mandaron gallinas y hasta un canasto topado de plátanos. Estaban en la pedida, ya los hombres llevaban cinco borracheras bien puestas en La Estrellita, pero decidimos enfrentarlo juntas. ¡Ay, Dios mío! [Cubre su rostro.] Hasta Lila nos rompió un palo en la espalda…, para mí, esa fue traición. Nos encerraron en el cuarto de Virginia y nos pegaron, nos dieron con todo. A Candelaria le reventaron las piernas a pencazos y la barbilla se la partieron en dos. Ya solo faltaban cuatro días para su boda. Ella iba primero. La pobre Virginia vio todo desde su esquina, ahí amarrada, impotente gritaba como fiera por nosotras. Si supiera el escándalo que se armó. Yo, por mi mamá enferma y mis hermanos que estaban muy pequeños, fue que me quedé. Como le dije, dejé de trabajar con don Emilio. Ya no me casé, aunque nos dejaron el cuerpo marcado para siempre.

Encontré otro trabajo de limpieza con un señor que se llama Marcelo, muy buena persona. También con doña Dorita y don Toto. Pero no se crea, ganaba poco en total. Lavaba trastos en los comedores y todo el dinero se iba a la bolsa de mi papá y al armario de Lila. Callada junté poco a poco. Ganaba más con las propinas. ¡Benditas propinas! Si la gente rica supiera lo que ayudan… Pero cuando logré hacer algo de dinero, mi mamá empeoró, mi papá dejó de trabajar en la finca porque se estaba quedando ciego, aunque la gente dice que fue por borracho que lo sacaron…, y al final me quedé sin nada otra vez. Es que mi papá y mis tíos siempre andan en líos de cantina.

Cuando murió mi mamá cubrí todos los gastos y hasta tuve que recibir limosna de algunas almas bondadosas. Don Cornelio me dio doscientos pesos. Lila empeñó un anillo. Don Rosendo me dio cien y el Jonás me mandó quinientos en un sobre. Y yo lo acepté. Ella se desangró por dentro. Los pulmones se le llenaron de agua, como pozas. Imagínese que tenía tres meses de haber muerto y mi papá ya había traído a otra señora que venía embarazada y trajo cuatro hijos... Cuando mi mamá tuvo a mi hermana, mi papá le decía que no servía porque solo nenas le daba. Pero esa señora que trajo, solo mujeres le dio. Mejor me río. Unos pocos ahorros que mi mamá tenía debajo del colchón, él los utilizó para su boda con esa mujer.

Y no nos invitó.

Uno siempre se pregunta qué va a pasar al final de su historia... Quería liberarme, dejarlo todo atrás, ¡usted comprende! Yo era una mujer entonces, y tanto dolor me había convertido en una anciana... Como si hubiera vivido muchas vidas a la vez, o hubiera reencarnado más de mil veces en el mismo cuerpo por terca que soy. Estaba vacía, agotada, como una flor marchita, perdida. Sola. Quería huir. Tenía el corazón en blanco. Es mucho más fácil olvidar que seguir aprendiendo de cada golpe. Entonces la vida me sonrió un poco y conseguí trabajo con un extranjero. A cada capilla le llega su fiesta, me dijo mi tío Vitalino, el papá de Candelaria, cuando me vio un poco feliz. Acá también dicen: a cada choche le llega su sábado... Antropólogo era ese patrón. Se llamaba William Burton. Él no hablaba bien español y yo no hablaba inglés. Estuve cinco años a su lado. Los más felices de mi vida... Pasamos de las señas a la telepatía. Era alto, alto, como un ejote. Y flaco, flaco. Él se dedicaba a escribir páginas y páginas y tenía su casa repleta de libros. Tanto que me enseñó a jugar ajedrez... ¿Por qué se ríe? ¿Piensa que una sirvienta no puede aprender a jugar ajedrez? Tráigase un tablero y va a ver cómo lo dejo sin billetera. Creo que me quiso como nadie me ha querido. Así como soy. Y creo que por fin aprendí a querer con toda el alma a un hombre que en nada se parecía al infeliz de Bernardo. Yo lo servía con devoción. Olvidé el rencor que había atorado en mí, pero jamás olvidé que yo era su muchacha. Él me tomaba de los brazos para decirme: mi socorrita, yo te amo... Con ese su acento tan divertido. [Ríe.] Una vez yo estaba cocinando unas lentejas que le encantaban, había calor. Entonces don William se pegó a mi espalda. Demasiado pegado. No me dio tiempo de recordarle que yo era su..., que yo no... Pero sus manos me cogieron toda. Paramos en la misma cama, comiendo en los mismos platos y de la misma comida. Acariciaba mis cicatrices con sus dedos largos, con una ternura que duele. Recorría las gradas de mis dientes torcidos con su lengua tibia. Cuando menos sentí era más suya que de nadie. Le entregué hasta mis huesos. Empaqué ese dolor que ocupaba mi pecho entero para darle lugar a sus palabras dulces. Sus ojos me tragaron completa. Pero cuando me levantaba de su cama y ponía los pies en el piso, volvía a decirle: don. Me ponía el uniforme y hacía la limpieza sin verlo a los ojos, sin contrariarlo, sin hablar. En los ratos de quietud, también me enseñó a leer libros. Ese hombre era un ángel, mi ángel de la guarda. Conmigo olvidó los años que tenía. No sé si supo cuánto lo quise.

Tristemente no hay dos glorias juntas... William fue decayendo hasta que se enfermó, se le empezaron a morir las neuronas, dijo el médico que llegaba a diario a visitarlo porque era su amigo; ya no podía ni pararse solo. Él se fue olvidando de quién era, de dónde estaba... Lo perdía todo, se perdía él mismo en su propia casa y repetía mil veces la misma cosa. Se le olvidó cómo se comía. Pero yo estaba ahí para recordárselo. Era su memoria. Hasta que falleció. [Llora.] Cuando estás en otro mundo, no se siente que pasa el tiempo. Todo se congela. Yo me quedé con él hasta el final. Era como un niño que dependía de mí. Si no lo llevaba de la mano, se orinaba en los calzoncillos... Ya muerto llamé a su familia. Contestaron tarde. Una hija me dijo que yo era culpable de su muerte, que yo quería su dinero. ¡Qué dinero si lo que tenía eran libros! Si supiera que lo único que yo deseaba era irme con él. Morirme con él. Me dejó sus cosas que no llenaron más de cinco cajas de cartón que siguen parqueadas en el cuarto de Lila. Y sus parientes nunca vinieron. Él está enterrado en los nichos de mi familia. [Señala la colina a sus espaldas.] No le he podido poner una placa, pero ahí está esperando que alguien venga a recogerlo. Por ahora, sigue siendo mío... Solo mío. Lo amé como dice la canción, con toda el alma. He llorado mucho por él, ¿sabe?, a cada rato, porque jamás me sentí tan acompañada. Y ahora tan sola... Primero fue como el papá tierno que nunca tuve. Luego el amante que jamás soñé. Por último, don William fue el hijo que jamás voy a tener. Me agradeció todo lo que había hecho por él... Ya solo a mí me reconocía. Como a las cuatro y media de la mañana fui por un café, pero en eso me abrazó. Lléveme con usted, le supliqué al oído. Suspiró y quedó dormido. Falleció ese día. Y no me llevó. De seguro porque no hablaba bien español y no me entendió.

Sí, he llorado mucho en la vida, amargamente. Soy testigo de esto que nos pasa a todas. De tanto maltrato. De tantas historias tristes. De lo que es el dolor. Usted no sabe lo que se siente aquí adentro que le digan bruta todo el tiempo. Que le digan cholera. Uno se lo para creyendo. Me duele contar que una vez mi papá me golpeó y me dejó muy mal herida. Por eso mis ovarios se pegaron... Tengo tumores. Hace dos años me operaron y el doctor dice que todo es por los golpes.

Y tengo reuma de tanto planchar.

No sé cuánto más vaya a aguantar. Por el momento pienso seguir hasta que Candelaria salga de ese lío y venga por mí. Todo lo hago por ella. Hace poco, la última vez que vino, me preguntó que dónde estaba William enterrado. Por su insistencia fuimos juntas al cementerio y ahí estaba mi amor, metido en su tumba sin nombre... No sé por qué..., a Candelaria se le escuchaba afligida. Despistada. Pero yo le puedo jurar por la Santísima Virgen de Todos los Rosarios que ella sería incapaz de lastimar a doña Teresa. ¡Si los adoraba como a padres!

Estoy segura que usted sabe dónde está mi prima..., no me crea interesada, pero solo por eso le di esta entrevista. Para saber de ella. ¿La tienen encerrada? ¿Come bien? Por piedad de Dios, yo le suplico que le avise que la sigo esperando en el mismo sitio, que yo sé que va a volver por mí. ¡Me hinco si quiere! Y cuéntele que, la otra vez, Virginia dijo su nombre.

Mi papá vive a la par de nosotros. Ahí donde está ese muro de adobe. La última mujer lo mandó a la mierda porque le puso la mano encima. No sabe cuánto me alegra. Y lo dejó sin nada otra vez. Ya ni para la cantina aguanta. No aprende la lección. A mí no me da lástima porque torturó a mi mamá hasta el final. Merece estar solo, ¿o no? Por mi cuenta, aunque sea lo último que haga, pase lo que pase, pero yo..., voy a cambiarme el nombre. [Se retira.]

Ciudad

Angelita Mitchell, hija de Teresa

Chocolate


Cuando tengo miedo imagino mi corazón como el que aparece en las láminas de mi libro de Ciencias Naturales. Palpita a punto de reventar. Las venas se inflan y se pone como un globo gigante.

No debo de hablar con extraños. Mi mami me lo dice siempre, desde que tengo uso de razón, y usted es un extraño..., pero mi abuela Carmen me lo pidió. Es un favor muy especial Angelita, habla con él. Y como está enojada conmigo, no puedo decirle que no. Además ella dice que si me quedo callada, usted va a pensar que soy muda.

¡Listo! Me llamo Ángela Mitchell, pero todos me dicen Angelita. Usted no me puede decir así todavía..., hasta que le agarre confianza. Pasa lo mismo con el "usted", porque a los extraños no se les puede hablar de tú. Y menos si es viejito. Tengo diez años y estoy en cuarto grado de primaria, en el colegio Católico Bilingüe Santa Marta. En la sección de los castores. Ya sé leer. También sé inglés. Y Miss Juárez es mi maestra preferida.

Sí... Lo sé. No es el primero que me dice que hablo como gente grande, pero mi mami dice que son los efectos de ser hija única. Además de inteligente. [Ríe.]

Mi mejor amiga se llama Clarita, pero hoy estoy peleando con ella. Yo le hablo de tú, pero si no nos contentamos tendría que hablarle de usted para siempre. Y eso suena muy feo. Ella hace lo que yo le digo, ¿sabe?, porque soy la más lista. Si pierde algo, yo se lo encuentro. Si tiene miedo, yo la calmo. Cuando vamos a un sitio, como al cine por ejemplo, yo la tengo que acompañar al baño porque le da pavor perderse, o que la dejen ahí, olvidada... Clarita dice que de seguro mi mami se perdió, igual que como le pasó a ella una vez... Por eso dice eso. Todos la buscaban en un centro comercial muy grande, cuando fue a Disney. Pero ella llegó con la policía y dijo que sus papás se habían perdido, ella no, porque estaba viendo unos juguetes. Es muy tonto creer que mi mamá se perdió. ¡Cómo se le ocurren esas cosas! Yo lo veo muy poco probable porque mi mami es muy orientada y ya hubiera encontrado la casa hace mucho, mucho tiempo. Además, la gente no se pierde para siempre. A no ser que se muera.

Hace poco nos pinchamos el dedo y nos hicimos hermanas de sangre con Clarita. ¡Cómo dolió! Ahora, aunque ella ya no quiera, va a ser mi hermana para siempre, porque tiene mi sangre revuelta con la suya. Y así es con los hermanos. Es que Clarita dice cada cosa que a veces me dan ganas de pegarle. ¿Cómo qué? Pues dice que a mí me gusta su hermano gemelo, Camilo. Y hoy le pegué porque me tiene cansada con eso. No es que me sienta contenta pero ella solo piensa en cosas que me enojan tanto..., dice que se va a casar con Arturo Contreras. Un niño de la clase. Eso es muy poco probable porque a los ocho años no se sabe si va a ser alto o chaparro, gordo o flaco, o si va a tener un ojo torcido gracias a un accidente fatal, o algo así..., y uno no se puede casar con alguien que no sabe cómo va a ser. Yo le aseguro que sus fotos de niño no se parecen nada a lo que usted es hoy, tan flaco... Pobrecito. ¿Se alimenta bien? Debería comer espaguetis porque engordan.

Ahora vivo aquí, con mi abuela Carmen, en esta casa que es mi casa para mientras. Es bonito porque hay un parque ahí enfrente, con juegos y todo, pero no hay muchos vecinos de mi edad. Allá, en mi otra casa, había varias familias como la mía. Estaba Lupita de nueve, Estuardo de once, Claudia de diez. A Claudia se le murió su papá. Pobrecita. De un infarto. O sea, el corazón se le paró de repente.

Sí... sé muchas cosas..., alma vieja, dice Miss Juárez. La otra vez explicó en la clase que hay viejos que siempre se sienten niños..., por lógica, hay niños que nos creemos viejos. [Ríe.]

Yo le digo Carmencita a la abuela porque ella odia que le diga abuela. Es que muchos mayores son así... ¿Ve? Una vieja que se cree niña. Llora mucho por mi mamá, reza por ella. Además es viuda, la pobre. Por eso me da lástima. Yo no conocí a mi abuelo que no sé cómo se llamaba porque ella jamás lo menciona. ¿Para mientras de qué? Mientras regresa mi mami. Y sale mi papá de la cárcel... Sí, que sea niña no quiere decir que sea boba o sorda, porque todo lo oigo a escondidas. ¿Usted ha estado en la cárcel? Dicen que es un lugar muy feo. Tiene rejas para que la gente mala no se salga de ahí. Los presos viven en cuartos muy pequeños que se llaman celdas y que se recorren con dos pasos nada más. Y mi papi, que es tan enorme, no debe de caber ahí. Su ropa tiene tres equis. Y la de mami una ese. [Ríe.] Me lo imagino con sus pies y sus manos fuera de las rejas como Alicia cuando se vuelve grandota en el País de las Maravillas... Les ponen un uniforme de rayas negras y blancas y una gran chibola bien pesada, con una cadena prendida en el tobillo para que no se escapen. Las ratas son sus mascotas. Les dan de comer feo, cucarachas y cosas así... No tienen televisión y todos van al mismo inodoro apestoso. Hay gente que se queda ahí para siempre. Mi papi no sé cuánto tiempo se va a quedar ahí. Si dice dónde está mi mami, tal vez lo saquen. Yo también rezo mucho por ella.

Pero no me gusta cuando se pelean. Me tapo las orejas y digo: no oigo, no oigo, soy de palo tengo orejas de pescado. Y luego mi mami no sale de su cuarto...

La doctora Isabel le dijo a Carmencita que es bueno que yo sepa lo que pasa. Que soy lista. Además, odio que me mientan. Me enfada mucho cuando nos tratan a los niños como idiotas. Idiota es una palabrota, ¿verdad? Cuando los adultos hacen el ridículo de hablarle como bebés a los bebés que ni hablan todavía, hacen el papelón de idiotas. No le diga a Carmencita que dije una palabrota, porque se va a enojar más conmigo. La otra vez, Arturo Contreras le dijo estúpida a la maestra de gimnasia y lo sacaron de la escuela por un día completo. La directora nos puso a buscar en el diccionario y decía: necio, torpe, falto de inteligencia.

Estoy en clases de canto y baile. Todos dicen que voy a ser una gran artista porque canto muy bonito. Y no es por lástima que lo dicen. Es que por lástima uno dice muchas cosas. Por ejemplo, el bebé de una prima de mi mami es bien feo, todo peludito, pero ella por lástima le dice que está bonito. Eso es mentir mamá, le dije. Pero ella dice que hay mentiras blancas, o sea..., no tan malas.

Las mentiras de mi papi no son blancas..., oí decir a Carmencita que él sabe dónde está mi mami. Claro que lo sabe, Carmencita, le digo para consolarla. El asunto es que ella no sabe dónde estamos nosotras. Entonces hice una carta para mi mami y pedí que la pegaran en la puerta de nuestra casa en Vista Bella, por si regresa, que sepa que estoy aquí. Aunque eso lo creo muy poco probable. Casi imposible. Me molestan los casi. Casi me choco, casi me caigo, casi me muero. Carmencita lo dice todo el tiempo... Casi vuelve mi mami.

Si te pierdes, no te muevas de ahí, Angelita, que yo te encuentro, decía mi mami...

Para ser artista hay que esforzarse mucho. Hay que practicar y comer verduras. Además hay que cuidar las cuerdas vocales y hacer ejercicios. Gárgaras y cosas así. Uno le ordena al cuerpo y el cuerpo obedece. Todo está en tu mente, dice la maestra que ya bailó hasta en el Teatro Nacional.

¿Que qué más aprendo en el colegio?

¿Sabe las esdrújulas? Yo sí me las sé. Y saqué cien en el examen. Usted ya no se acuerda, lo aseguro. Es que a los viejitos se les olvida todo. Carmencita no recuerda muchas cosas. Siempre se le olvida dónde dejó su celular, o pierde las llaves del carro. Una vez metió su cartera en la refrigeradora y ni cuenta se dio. [Ríe.] Pues son las palabras que se tildan en la antepenúltima sílaba. Por ejemplo brújula, espátula, depósito, tarántula..., y todas llevan tilde. Aunque mi clase favorita es matemáticas... ¿Ve? Matemáticas es esdrújula. [Ríe.] Esdrújula es esdrújula... Me encantan los números, además son muy importantes. Una vez numeré todos los juguetes que tengo y llegué como a cien. El caballito de la Barbie era el número ochenta; los trastecitos eran el cincuenta y nueve. Mi muñeca Leti es el número uno. Ah, y también acabo de aprender las tablas de multiplicar. Dígame, ¿ocho por nueve?

Miss Juárez dice que soy muy inteligente y que debería de estar mínimo en sexto de primaria, pero yo no quiero dejar sola a Clarita. Es que ella no sobreviviría sin mí. Aunque estemos peleando. También sé los países de Europa. Es que tengo una memoria privilegiada. Esa palabra quiere decir extraordinario o muy bueno.

Me encantan los animales. Los mamíferos no tanto. Sobre todo los reptiles. Mi animal favorito es la culebra. Cuando sea grande voy a ser veterinaria. [Pensativa.]

Acá no hay tantas como en África, pero hay cascabeles o barba amarilla que también les dicen terciopelo. Y son muy venenosas. Las aves saben cómo evadir a las serpientes. Muy pocas veces las atrapan. Tampoco hay osos. Fíjese que los circos ya no tienen animales porque los maltratan. El alcalde los prohibió. Y es cierto, porque la última vez que

fui, vi una jaula con un tigre más flaco que usted...
Casi muerto. [Ríe.] Y ahora solo hay magos o tra-
pecistas. O tragasables. O escapistas. O esas señoras que ponen a dar vueltas muchos platos a la vez
sobre una varita, y sin botarlos. [Pensativa.] Los
puyaban con palos para que bailaran..., o hicieran
gracias, como subirse en un tonel o bailar tango,
por ejemplo. El tango es un baile de Argentina y
a Carmencita le encanta... Y les dolía mucho. A
mí me encantaba ir con el tío Carlos al circo. El
tío Carlos es primo de mi mamá y no se ha casado todavía. Dicen que se va a quedar para vestir
santos, el pobre. O solterón. Eso quiere decir que
no va a tener hijos, pero ha tenido muchas novias.
Susi fue mi favorita; ya se pelearon. Qué pena. Me
encantan los osos, aunque son muy peligrosos.

Yo he tenido un hámster y dos tortugas. Pero
se murieron. Mi mami dice que en el cielo hay una
madriguera gigante para recibirlos.

Y también me encantan las mariposas. Tengo
unos peces que una amiga de mi mami me trajo de
regalo, dizque para consolarme. Comen solo una
vez al día. Carmencita dice que soy fanática con
los animales, que seguro que en mis vidas pasadas
estuve en el Arca de Noé. Por bromear me lo dice.
[Ríe.]

Ahora, con mi tío Carlos, vamos al zoológico
que no está nada mal..., acaban de traer pingüinos,
¿estaba enterado? Les hicieron un pequeño cuarto
frío con montañas de mentira y casitas de hielo
para engañarlos. Pero ya se murieron cuatro. Es
que traer pingüinos a un país caliente es cosa cruel.
¿Sabe que las ballenas se alimentan cada tres meses?

Las jorobadas miden más de doce metros de largo y pesan treinta toneladas. O sea, del tamaño de un edificio. Y gritan debajo del agua. [Pensativa.] Un oso te mata de un zarpazo.

También sé sobre el ciclo de la vida. Un pájaro se come a las hormigas cuando está vivo. Las hormigas se comen al pájaro cuando está muerto.

Lo único que no entiendo es por qué no me dejaron traer mis juguetes. Oí que los están revisando los policías. ¿Es cierto? ¿Para qué? ¿Usted sabe algo de mis juguetes? Solo pude traer a Leti, mi muñeca favorita. Mírele el vestido todo sucio porque su ropa se quedó en mi casa y no me dejan ir para cambiarla. Dice Carmencita que pronto voy a tener de nuevo mis cosas, cuando regrese mi mami. ¡Odio que me mientan! No entiendo por qué todo lo que me promete es..., cuando regrese tu mamá. ¿Y si no regresa?, le pregunto. Claro que va a volver, me dice ella. Hay que rezar mucho. Pero ya me cansé de rezar. Y ahí termina la conversación. Yo sé que miente porque tiene un pequeño altar con la foto de mi mami y una veladora que jamás se apaga. Como en las iglesias, que les ponen a los santos. Pero los santos están muertos.

Cuando cree que estoy dormida, se hinca ahí y reza llorando, o llora rezando. No sé. Que Dios te tenga en su gloria hijita mía, dice, porque cree que yo no la oigo.

Lo que sí es grave acá es que en casa de Carmencita no puede vivir mi perro, Chocolate, porque es un lugar muy pequeño y no tiene buen jardín. Lástima, porque era muy feliz conmigo y debe sentirse solo. O triste, que es más triste aún...

¿Sabe cómo se entrena un perro? Yo sí sé. Parecido a los osos del circo, solo que sin lastimarlos. Aunque si se hace pipí en la alfombra, usted le puede pegar con un periódico, suavecito, solo para que se asuste. Es poco a poco que se le va enseñando, que se va sintiendo suyo y agarra confianza. Aprende a obedecer desde cachorro, y a defenderlo de los ladrones. Si le digo a Chocolate *sit*, él se sienta..., si le digo *up*, él se para. Pero ya de grandes no se pueden entrenar.

Las niñas valientes no lloran. Ni siquiera cuando se les va su mami. Ni siquiera cuando les quitan a su perro. Ni siquiera cuando las dejan sin juguetes... Dicen que los hombres no lloran para nada. Pero eso es mentira porque Camilo, el hermano de Clarita, llora cuando se pelea con nosotras. Igual mi papi, llora mucho por su mamá. Por mi mami no lloró nunca. Pero la hacía llorar a ella. Anoche soñé con Chocolate, movía su cola como loco de felicidad. ¿Sabe usted que los sueños dicen el futuro? Por ejemplo, si sueño con Chocolate es porque algo muy bonito me va a pasar. Si sueño con un pájaro muerto, es porque algo muy malo me va a pasar. Candelaria, mi muchacha, soñó una vez con una novia toda vestida de blanco y, al día siguiente, cuando iba a su pueblo, la asaltaron dejándola sin un centavo en la bolsa. Hasta le robaron el celular. Para ella eso es cosa seria porque no vive sin su celular. Cómo sufrió la pobrecita. Es que habla todo el día con sus hermanas y sus primas... Y mi papi a veces también la llama. Hablan no sé qué cosas.

Pero mi papi le compró uno nuevo. Es nuestro secreto, me dijo Candelaria al oído...

Yo ya fui a su pueblo..., se llama El Caimán..., sí, una vez que íbamos para el lago, a la casa de unos amigos de mi papi..., esa vez, mi mami se quedó y él estaba muy enojado con ella. Él se enoja mucho con ella y la deja acostada, triste todo el día. Y mi mami no me abre la puerta. No quiere que la mire, y no sé por qué. Luego mi mami se fue.

¿Le dije que Chocolate es labrador? Hay más de cien razas caninas distintas en el planeta. De humanos no hay tantos, pero sí están los chinos, como un niño que hay en el colegio, y también los morenos, como usted. Pero mi mami dice que todos somos iguales...

Mi muchacha jura que las personas llevamos un mundo adentro y que los sueños eso cuentan. Sí... como que vivimos dos vidas, una de día y una de noche. La doctora Isabel siempre me pregunta que qué soñé... Soñar con serpientes es buena suerte, por ejemplo. Soñar con una fiesta es porque vienen éxitos importantes, como que vas a ganar con cien el examen de matemáticas. Cuando mi papá soñó con dientes, se murió su mamá, mi abuela Clotilde. Pero eso fue hace tres años y yo era chiquita.

Mi muchacha Candelaria me cuidaba mucho. La extraño. Y nadie me dice dónde está. ¿Se habrá ido con mi mami? Mejor que no me respondan, así no me mienten. Ella es muy lista y quiere mucho a mi papi. Además es muy divertida porque es supersticiosa. Eso quiere decir que no pasa debajo de una escalera porque le da mala suerte. Dice que si canta un gallo antes de que amanezca, alguien se va a enfermar. Mi mami se enoja con ella: deje de meterle cosas a la nena en la cabeza, Candelaria, le dice, pero hablamos a escondidas..., cuando mi mami se va a la iglesia. O a sus retiros. O se encierra en su cuarto. Es que ella se la pasa rezando por nosotros. Y entonces Candelaria me cuida. Mi mami siempre tiene la razón, porque luego me muero de miedo y me cuesta dormir. O sueño cosas feas que dicen mi futuro... Por eso tampoco miro películas de miedo porque después se me aparecen en mi vida de la noche. A Clarita le encantan esas del Hombre Lobo o de Drácula. También las de un payaso malo. Una vez vimos una mariposa negra en la casa y Candelaria se asustó mucho. Alguien se va a morir, me dijo. ¿Quién?, le pregunté yo. Dicen el milagro pero no el santo, me contestó. Yo no creo en esas cosas porque es poco probable que sepamos lo que va a pasar en el futuro. Si no, no pasaría nada porque lo evitaríamos en el presente, entonces no habría futuro. [Ríe.] Mi mami dice que solo Diosito sabe lo que va a pasar, que hay que pedirle mucho para que todo sea bueno. ¿Usted es supersticioso? Si se le atraviesa un gato negro o abre una sombrilla bajo techo...

A Chocolate me lo compró mi mami cuando mi hermanito se fue al cielo. Todavía estaba en su barriga y jamás le vi su carita. Solo una foto que le tomaron desde afuera, que no me acuerdo cómo se llamaba..., algo con sonido, pero yo no entendí mucho. Solo sé que se estaba chupando el dedo. Se iba a llamar Lars, como mi papi. Yo no quería ese nombre para él. ¿Por qué? Es que no me gusta.

Yo estaba muy ilusionada comprándole ropita bien pequeñita y juguetes de bebé. Mi mami se puso muy triste cuando él se fue para el cielo, lloraba mucho y yo tuve que hacerme la fuerte para que ya no llorara más. Me enojé mucho, porque eso de salirse de la barriga de mi mamá para irse al cielo es cosa seria. Pobre mi mamá. Reza mucho por él y a veces me lleva a la iglesia con ella a encender muchas veladoras blancas.

Una vez Clarita le preguntó a su mamá que cómo salió de su barriga. Primero la cabeza, después los hombros, luego la panza, las manos y por último los pies, le contestó doña Luchi. Así se llama su mamá. Entonces Clarita dispuso que nacemos por pedazos y que nos arman afuera. Como un rompecabezas. Que de seguro mi hermanito no salió completo y que por eso se murió, porque le faltaron las piernas por ejemplo. Yo, la verdad..., creo que eso es ridículo. Ridículo es una palabrota. Es poco probable lo que ella dice, de seguro su mamá le mintió. Es que las mamás dicen cada cosa..., mienten mucho cuando no saben qué responder, o están viendo su novela, o cosas así. Lo que sí sé es que mi papá y mi mamá se besaron, entonces vine yo.

A mí no me gusta ir a misa porque no se puede hablar con nadie. Ni una palabrita. Mi mami dice que uno va allí a hablar para adentro, con Jesusito. Y es cierto, porque hay muchas señoras que hablan solas. Y señores también. Lloran y todo. Un día se enojó conmigo porque le dije que lo del Espíritu Santo no era cierto. Que eso de estar en todos lados al mismo tiempo era imposible. Entonces me castigó y tuve que rezar muchos padrenuestros. Me arrepentí. Tampoco entiendo muy bien lo de la fe. Pero mejor me lo quedé callado. Que es como creer sin ver. Poco probable porque hay que ver para creer, dice Carmencita. ¿Entonces? Lo dice seguido y yo me lo aprendí. Lo dijo, por ejemplo, cuando su hermana Guillermina consiguió marido ya viejita: hay que ver para creer, dijo. Me encantan los dichos de mi abuela y me los aprendo de memoria. Ojos que no ven, corazón que no siente. O sea que si uno no ve algo, pues no va a preocuparse. Mi mami me pide que debo tener mucha fe y rezar todas las noches y todas las mañanas. Y Clarita dice que si no lo hago, me va a partir un rayo. Esto también lo veo ridículo porque si estoy bajo techo, no me puede alcanzar un rayo. Por eso me da miedo salir al jardín, no sea y Diosito decida castigarme por todas las cosas que pienso. No puedo evitarlo. [Pensativa.] Vamos a hacer la primera comunión con los niños de la clase que son católicos. Unas monjitas de la parroquia nos dan clases de catecismo. Me sé las oraciones de memoria, cómo se reza un rosario, el Avemaría y todas las canciones. Arturo Contreras no es católico. Dice mi mami que los evangélicos también creen en Dios pero no hacen la primera comunión.

A mí me dan miedo las monjas.

El abuelo de Clarita, don Emiliano, es ateo. Le decimos Milo. Eso quiere decir que no cree en Dios. Que se ha pasado toda la vida sin rezar y sin ir a misa. Supongo que eso es malo porque lo más probable es que si no cree en Dios, cree en el diablo y se va a ir al infierno... Pobrecito... También jura que venimos del mono, eso me lo contó mi amiga, pero yo busqué entre todas las fotos y revistas y jamás encontré pista de eso. ¿Qué estás buscando, Angelita mía?, me preguntó con su voz tan dulce mi mami. Cuando fuimos monos, le respondí. Porque, la verdad, me pareció muy probable eso de venir del mono..., por lo iguales que somos. Pero yo era más chiquita... Suficiente con ir al zoológico con el tío Carlos para entenderlo. Ahí están los chimpancés arrullando a sus bebés y sacándoles los piojos... Pero ella me arrancó el álbum de las manos y me prohibió ir a la casa de Clarita por muchos días.

Yo le hablo a Dios..., le digo cosas. Dice Carmencita que todo está permitido con él. El padre Estevan también dice lo mismo. Que no se enoja y que es compasivo. Nos perdona todos los pecados. Y yo sí que tengo pecados. Digo palabrotas y le pegué a Clarita. Y ya no quiero a mi papi. Lo peor es que tengo que esperar hasta el domingo para que Diosito me perdone. Hacer la fila y esperar a que el padre Estevan me ponga penitencia. No querer a mi papi me va a dar una penitencia muy grande, como dos rosarios, cinco padrenuestros y a saber cuántas avemarías..., digo yo. Él grita mucho, patea las cosas. Cuando mi mami se fue, estaba muy enojado y a mí me dio mucho miedo.

¿Que qué le digo a Dios? Le pregunto si se equivocó cuando inventó a las cucarachas. Es que me dan mucho asco. O..., le agradezco que haya extinguido al tiranosaurio porque ya no habría humanos en este planeta. Le reclamo que por qué es que no ha inventado un nuevo animal, imagínese uno celeste con cinco patas. [Ríe.] También le pregunto que por qué ya no hace milagros. Yo le pido con fuerza que regrese mi mami. Hasta le prometí no comerme las uñas. Pero no me escucha. Antes Dios hacía muchos milagros, ahora ya no.

Dicen que los niños decimos la verdad y que los adultos mienten. Mi papi, por ejemplo, miente mucho y eso enoja a mi mami. Y a mí también. Me enoja verla siempre tan triste.

[Angelita Mitchell se frotó las rodillas con sus manos inquietas. Tomó la muñeca de ojos fijos y trenzas largas entre sus brazos y la apretó contra su pecho. Evidentemente incómoda. Pronto retomó la firmeza de su rostro. Vestía un suéter amarillo con botones en forma de margaritas y una pequeña bolsa sobre el corazón. Se tumbó boca abajo en el sofá. Se paró. Se volvió a sentar. Se volvió a tumbar. Como último recurso encalló su cabeza entre los cojines y sonrió con timidez. El fiscal auxiliar aprovechó para ir al baño. Era la tercera vez, en pocas horas, que tenía las ganas frustradas de orinar. Siempre le ocurría cuando estaba nervioso. En el pasillo, al fondo. A pesar de lo afable y vivaz de la niña, a pesar de su natural ingenio, había miedo en su mirada. El fiscal practicó una expresión amable frente al espejo. Espantó la dureza de su rostro simulando una carcajada, a tiempo que visualizó el rostro de su hijo. Olía a creolina y le recordó el inodoro de la estación de policía. Sintió ahogo. Pensó en su abuela y un aroma a talco alivió sus sentidos. Mientras orinaba, revisó la orquídea artificial que estaba fija en una repisa, toda empolvada, y le pareció de mal gusto. Sintió lástima por Angelita. Lástima por Teresa Montenegro. Lástima por él mismo. Aunque se lo habían ofrecido en repetidas ocasiones, pensó en que era demasiado pronto para retirarse. Luego dedujo que no era mala idea del todo. Que el asunto de Teresa lo iba a llevar a la tumba. Pero para él, el caso se había convertido en un asunto de amor propio. Cerrándose la bragueta del pantalón, un tanto tembloroso, revivió la promesa que se hizo desde el principio: encontrar sus huesos dormidos y contarle a Angelita la verdad.

En el fondo del pasillo había un pequeño altar con la imagen de Teresa, flores y una veladora titilando. Arrimado, un reclinatorio para el rezo. El fiscal auxiliar se detuvo a observarla. La sintió santa, la sintió suya.

La imagen de Angelita atrapó sus ojos. Estaba distraída con una pecera asentada sobre la cómoda de tres cuerpos que presidía la sala. A lo lejos se escuchaba el pequeño motor y el soplido de las burbujas. Ella se arremangó el suéter amarillo y metió la mano para enderezar las algas de plástico, un cofre de tesoros y un pequeño barco naufragado. Simulando sorpresa, la niña se sentó de nuevo. Dio un trago de leche que recién le llevaban junto con unas galletas de fresa. A él le sirvieron un café granuloso que, al parecer, habían colado desde la mañana. Dudó si tomárselo porque estaba en la hora límite del insomnio. Dio un sorbo nada más, comprobando sus sospechas.]

¿Cuánto falta?, pregunta Angelita. Ya muy poco, responde el fiscal. Tengo deberes y estoy castigada. Lo sé. Angelita Mitchell tararea una canción.]

¿A usted le gustan los peces? No vaya a decirles pescados, porque Clarita así les dice. La pobre no distingue entre los que están vivos y los que están muertos. Yo ya le expliqué varias veces, pero ella dice que le da lo mismo. ¿Cómo cree?

Ahorita debería de estar en el colegio. En mi clase con Miss Juárez... Usted me mira aquí a esta hora porque me castigaron. Yo salgo hasta las tres de la tarde todos los días y después hay que hacer deberes. Hay países donde no dejan deberes. ¡Dichosos! Hoy me tocaba mi clase de baile y canto. Ya sabe..., para ser artista. [Triste.] Carmencita tuvo que ir a recogerme antes de tiempo. Estaba muy enojada conmigo porque se tuvo que salir de un almuerzo que tenía con sus amigas. Ya casi ni salgo con mis amigas, me dijo furibunda. ¿Ve? El "casi" de nuevo... Además me dijo que yo era egoísta. Eso quiere decir que solo pienso en mí, que no presto mis juguetes o cosas así. Me advirtió que tenía que portarme bien para no tener quejas cuando venga mi mami. ¡Estoy cansada de lo mismo! Ya le dije que es muy poco probable que mi mami vuelva, porque ya pasó mucho tiempo desde que se fue y sé que ella no hubiera podido vivir sin mí tanto tiempo. Además, como viví en su barriga, sé todo lo que piensa. Y ahora ya no siento nada. A veces hasta me cuesta recordarla. Entonces corro al altar y miro su foto y siento alivio.

Yo no podría vivir sin ti mi Angelita bella, mi manzanita, me decía todo el tiempo. Y yo le creí.

Casi nunca me porto mal, pero esta vez me tuve que pelear con Clarita. Y todo por la culpa de Camilo. Primero ella se enojó conmigo porque le dije que su hermano era un neurótico y que yo jamás me voy a casar con un neurótico. Ella ni sabe qué quiere decir eso, así que no entiendo por qué se enojó tanto. ¿Ve? Neurótico es una esdrújula... ¿Cómo iba a gustarme Camilo, si me robó un termo con animalitos fosforescentes que llevé la semana pasada al colegio? Y no lo delaté por ella, porque cuando castigan a un gemelo, los castigan a los dos de un solo. Por si acaso, dice Luchi. Ella ni sabe lo que es un neurótico. Tampoco se ha aprendido las esdrújulas como yo, porque perdió la prueba. La cosa es que nos jalamos de los chongos y Clarita me dijo que me odiaba. Yo le pegué en el estómago y la maestra Lucy nos separó muy histérica la pobre. A ella también la abandonó un hijo de la barriga y no vino por varios días al colegio. Estará en el cielo con mi hermanito. Ahora estoy castigada y lo más probable es que Carmencita me castigue también y ya no me lleve a mis clases de baile y jamás me traigan a Chocolate. Y nunca voy a ser artista.

Me da miedo dormir sin Chocolate. Me asustan los fantasmas porque mi muchacha Candelaria ha visto a varios en su pueblo. Y yo le creo. Me cuenta que en la Calle de la Llorona, la pared se llena de sombras que se mueven solas y que varios conocidos se han muerto ahí mismo del susto. De un infarto. También dice que cuando dan las doce de la noche se escuchan los lamentos de los muertos. Como campanas de iglesia. Y es que ella vive cerca de un cementerio, ¿se imagina que miedo?

Mi mami se enoja mucho con mi papi porque él habla con la abuela muerta todo el tiempo. Como si la tuviera ahí enfrente, pero no se ve a nadie. Un espíritu o algo así. Le dice que vaya al doctor, que necesita ayuda, pero mi papi se pone muy bravo. Hasta tira cosas. Es probable que por eso esté en la cárcel. Tal vez golpeó a mi mami...

Cuando se murió la abuela Clotilde yo fui al funeral y también al cementerio. Era chiquita entonces. Había muchas flores ahí, yo estornudaba y mi papi pegaba de gritos. Es que el polen me da alergia, dice el doctor Flores. ¿No le parece divertido llamarse Flores y dedicarse a las alergias que dan las flores? [Ríe.] Tuvieron que sacarlo entre varios por lo grandote que es, y yo me asusté mucho. Parecía un oso bravo. Y los osos me dan miedo. De esos que veo en la tele.

La vi como dormida en su caja de madera brillante, igual que esos muebles de las tiendas finas..., toda pintada la pobre, y con un vestido negro que le llegaba hasta al cuello. Logré tocar su mano y estaba muy fría y tiesa. No se cómo pudieron vestirla porque a mí me cuesta con mi Barbie que es tiesa también. Yo tenía mucho miedo. Miedo a que me agarrara; miedo a que abriera los ojos cosidos que tenía y me llevara con ella. Mi papá lloraba como niño y mi mami dice que necesita ayuda porque ya nunca se consoló. Los muertos se ponen fríos y hay que cerrarles los ojos porque asustan si se mueren con los ojos abiertos. Yo he visto a varios. Desde el bus del cole vimos a una señora atropellada. Pero solo le vimos una mano que se salía de la sábana con la que la habían tapado. Igual que los pies de mi mami cuando estaba dormida...

Mi mente es como una enorme estación de trenes.

No entiendo por qué me quitaron a Chocolate. Si él no molesta y ladra solo cuando hay ladrones. Él podría cuidarnos a Carmencita y a mí. Pero, la verdad, no sé dónde está. Usted que es detective podría ayudarme. ¿Puedo contratarlo para que averigüe? Yo tengo ahorros. El Padre me dice que tenga fe, pero...

¿Si hablo con él?

Sí. El padre Estevan me visita de vez en cuando. Dice que no hay tiempo límite para los milagros, que debo pedir mucho a Jesús para que mi mami regrese. Pero sé que me miente. Raro, porque los curas no mienten. Cada vez que menciono a mi mami se le llenan los ojos de lágrimas. Como pequeñas lagunas. Y no disimula nada bien... se hace el fuerte conmigo, pero a mí me da lástima porque sé que la quería mucho. Si creyera en los milagros de verdad, él no lloraría. ¡Mire!, usted ya va a llorar también..., y eso que los detectives tampoco lloran. Él me contó que todas las monjitas están rezando por ella. A mí no me gustaría ser monja. Seguro que el padre Estevan sabe que mi mami no va a regresar. Es que hablaba mucho con ella. Lo sabía todo.

Pregúntele a él.

Debo terminar de comer mis galletas de fresa. Prefiero las de vainilla, son mis favoritas. Es que me encanta la vainilla. Y detesto las bruselas, pero si son deliciosas, me dice mi mami, es que tú y yo tenemos gustos diferentes, mamá, le respondo. A veces me tratan como tonta y eso me enoja mucho. Como si no supiera lo que está pasando. Por eso no leo las cartas que mi papi me escribe desde la cárcel. No lo voy hacer hasta que diga dónde escondió a mi mami...

Clarita me contó que cuando los perros se vuelven viejos e inservibles los ponen a dormir para siempre. Una vez me contaron que en el Polo Norte abandonan a los viejitos para que se los coman los osos, porque ya no sirven para nada. Ya no pueden caminar, ni comer porque se quedan sin dientes y cosas así. Tengo mucho miedo que pongan a dormir a Chocolate para siempre. Que lo manden con mi hermanito... y con mi mami y con el hijo de la maestra... La próxima vez ya lo voy a tratar de tú, pero algo me dice que no va a volver... Es que soñé con un pajarito muerto. [Sonríe.]

El Caimán

Rosa Aguablanca, prima de Candelaria

La fotografía


Apenas hay media hora para hablar... Tengo iglesia a las cuatro. Misa de muerto. Hago las de sacristán porque don Óscar se enfermó. Es el misario oficial pero ya está viejito el pobre. El Padre dice que a través de mi servicio, Dios va a llevarme a los pies de Cristo... Si se le ofrece orinar, allá al fondo está la letrina. Y para darle, solo hay agua. Si quiere.

Es difícil apretar tanta vida en media hora. No sabe lo que duele recordar, porque es como revivir el pecado. Otra vez. Y otra vez. Como entrar en una máquina del tiempo que me lleva de vuelta a la amargura. Aunque yo ya fui perdonada. Amén. Pero no olvidada.

Queda la culpa, traidora como una sombra que no se despega de mis pies y me sigue a donde voy. Me atosiga. Y de eso yo sé bastante.

¡Bueno! Me llamo Rosa Aguablanca. Nací en el caserío Aguablanca un 18 de marzo de 1970. Y que me parta un rayo si mi prima Candelaria no tuvo algo que ver con la desaparición de la señora Teresa Montenegro.

Si el Jonás se entera de que estoy hablando con usted, ¡me mata! Por los clavos de Jesucristo que me deja arrimada en la cuneta. Es marido de

Candelaria..., daría la vida por ella. Pero también la quitaría. Se lo prometo. Lo mejor será que nos metamos en la casa, aunque esté algo oscuro ahí adentro. ¡Qué pena me da! ¡Y con este día tan bonito que hace! Desde que se enteró de usted, anda rondando por aquí con sus matones. [Nerviosa.]

En esta foto éramos todas chiquitas. Parecemos marimba. Esmirriadas y mocosas. Vea, la de acá es Lila cuando era joven todavía. Mírela qué galana. Sí, es mi abuela, la que nos crio a todas. Esa que parece un espanto es mi mamaíta, que en paz descanse..., embarazada como siempre. Dios la tenga en su Gloria. La que está encaramada en esa rama es la Candelaria. Abajo, sentadita en el tronco, mi hermana Regina, la que vive en los Estados. Yo soy esa, la que está abrazando a Socorro, mi otra hermana. Las más chiquitas son Remedios, la gata, Lorena y Salvadora, la puta. Y la que sale escondida, la que solo asoma la carita, es Virginia, mi hermana la loca.

De verdad que éramos tan felices, como almitas puras todas... Vea, no usamos zapatos hasta los doce. Nunca tuvimos ropa propia. Todo estaba en un canasto y agarrábamos lo que había. Entonces no entendíamos la desdicha. Yo, por mi parte, me enteré de que era pobre hasta el día en que viajé a la capital.

Estamos ahí paraditas en este mismo patio, donde desahogan las cinco casas. Es lo único que tenemos, un sitio donde escupir tranquilas. Yo nací y crecí en este cuarto, somos íntimos amigos porque hemos envejecido juntos. Mis secretos están arrinconados en cada una de sus esquinas. Aquí no ha cambiado nada, como si el tiempo se hubiera estancado. Es que la pobreza hace que nada cambie. Lo paraliza todo, hasta a la gente se pone lenta. Pero es la voluntad de Dios, amén. El día que nos tomaron esta foto, es el día en que íbamos a celebrar la Navidad con don Marcial, el dueño de La Milagrosa. ¡Yo cómo quise a ese señor! Lo adoraba. Fue el ángel de este pueblo. Mi sueño desde niña era servirle, ser su sirvienta, hacer todo por él, pero la vida no me dio tiempo. Seguro que está en el reino del Señor rodeado de ángeles. ¡Ay Dios! Afuera de la iglesia colgaba piñatas de colores con figuras de animales que jamás habíamos visto, como jirafas, tigres por ejemplo. O elefantes. Además traía un circo, Los Hermanos Pinzón, y podíamos ver hasta tres funciones seguidas sin pagar. Cómo olvidar a la elefanta Bombi o al mago Marcel. Don Marcial venía con su esposa y sus hijas y hacíamos una cola larga para que nos dieran un juguete. Ah..., esa fila era eterna pero me llevaba al cielo..., esperando a ver qué me tocaba, usted no se imagina cómo se siente la pura felicidad. Tan simple. La lluvia de dulces sobre mi cuerpo era más importante que la lluvia sobre la siembra de maíz que nos daba un poco de comer a todos. Había que ponerse lista porque la Candelaria se lo llevaba todo. Después nos hacía hacerle favores para regalarnos unos, poco a poco. [Ríe.] La felicidad nada tiene que ver con el dinero. Y sé muy bien por qué se lo digo. Fuimos a primero de primaria nada más, aunque don Marcial hizo hasta lo imposible para que siguiéramos en la escuela porque decía que éramos bien listas todas. Pero mi papá y mis tíos nos pusieron a trabajar.

Recuerdo que cuando don Marcial pasaba por el parque del Caimán..., solo me bastaba con jalar una puntita de su saco blanco dos veces, entonces él miraba para abajo con sus ojos de perro bueno, mientras ponía una moneda en mis manos acompañada de una sonrisa. ¿Cómo olvidar eso?

Y le cuento lo de las piñatas porque el único contacto que teníamos con el mundo de allá afuera era una hora a la semana enfrente de la televisión de don Cornelio, el dueño de la tienda La Evangélica Cristo Rey. Nos sentaban en el mostrador mientras se escondía con Lila para hacer sus porquerías..., recuerdo que mirábamos Tarzán, el Hombre Mono. Así le pusimos a un perro de la casa. [Ríe.] Pues ahí vimos elefantes, jirafas, osos..., y de esta manera descubrimos que el mundo era un poco más grande que nuestro pueblo. Que detrás de las montañas que veíamos todo el tiempo, como inmensos muros verdes, habían otras cosas. Y que si éramos buenas empleadas, todo lo viviríamos allá en la capital. Al menos eso nos decía Lila. Pero le confieso que más que el hombre mono, a mí me daba mucha gracia ver cómo saltaban codos, resbalaban rodillas, caras de esa cortina de manta donde los mañosos se escondían..., como si hubiera un gigante ahí atrapado.

Candelaria fue ingrata desde siempre.

Sí, muy... De niña buscaba la manera de ser la mejor, de ganar haciendo trampa, de sobrevivir por encima de todas y a costa de todas. Siempre se creyó la más inteligente, la más lista y la más pegada a Lila. Es que ellas dos tienen lo suyo..., como secretos. Vea, Candelaria aprendió sus mañas con la abuela... Como..., usar hierbas no solo para curar sino para enfermar, por ejemplo, a adelantarse al futuro de las personas..., ¡a engañarlas que es otra cosa!, porque solo nuestro Señor sabe lo que nos depara el destino..., y aprovechándose de las penas ajenas para ganarse unos centavos. Dios las perdone. Pero todo se paga, señor, todo se paga. Si no, mírela, de seguro que presa está. Encerrada la deben de tener a la Candelaria. No sabe a cuánta gente he visto salir de aquí llorando, desconsolada. Las personas del Caimán dicen que un muchacho que trabajaba en la gasolinera de la entrada, salió de aquí directito a ahorcarse. Que en paz descanse y que Dios tenga misericordia de su alma. Amén. [Se persigna.]

En este pueblo hacen fiesta por todo. Las quinceañeras bailan como trompo en pleno salón del Palacio Municipal... La gente fina se engalana y se toma su foto con paisajes pintados de fondo, como lagos preciosos, volcanes y cascadas. Por cierto que el fotógrafo fue hombre de Lila. [Ríe.] Nosotras aprovechamos para vender comida y refrescos de plátano, porque siempre hay algún borracho que sale con hambre de ahí. Qué bonitas se ven las señoras con sus maridos..., todas galanas. Me recuerdo que la Candelaria se colaba por los corredizos y se llevaba a la Socorro a la fuerza. Así vamos a ser nosotras, le decía, encuclillada ante el desfile de lentejuelas y zapatos altos. Siempre metiéndole cosas en la cabeza a mi hermana..., pues una vez se colaron hasta el salón de baile y se robaron una bolsa y un pastel y se las llevaron presas a las dos. Eso fue horrible porque mi hermana no tenía nada que ver..., fue Candelaria la que la embrujaba siempre, igual que como lo hizo conmigo. ¡Igual que como lo hizo conmigo! Regresaron golpeadas, todas moreteadas y nunca confesaron lo que les pasó.

Sí... Ya le cuento...

Y de la feria, ni se diga..., en la primera semana de marzo todo se estanca por estos rumbos. Hasta la finca interrumpe su trabajo y le da libre a los peones. Pues la Candelaria fue Señorita Caimán durante cinco años seguidos. No dejó que ninguna de nosotras concursáramos y los jurados, comprados por el Jonás, ya casi ni llegaban al concurso. Solo mandaban un papelito con su decisión pagada. Una chica que competía con ella apareció con la pierna quebrada, toda destartalada la infeliz. La recuerdo a Candelaria paseándose del brazo del Jonás entre las ventas de dulces y churros, como dueña y señora de la feria..., retando al mundo..., tan altanera.

Y le digo que puede ser buena, eso no se lo voy a negar. A veces sorprende con una mirada como de pajarito, hasta la voz le cambia y logra sonreír a ratos. Pero de pronto explota y es capaz de cualquier cosa. Óigame lo que le digo, de cualquier cosa.

Jamás voy a olvidar que de niñas, una vez me acusó con mi papá de haber pateado a los pollos con tal de que yo no fuera a la esperada celebración de Navidad. ¿Por qué? Nunca lo entendí... Y no fui. Y fui yo la que paró pateada por mi papá y encerrada en la tumba de Virginia. Ahí, detrás de la pila. Recuerdo que había frío porque para

Navidad aquí siempre hay frío. Se viene un chiflón como revoltoso que levanta el polvo y alborota a los árboles. Tal vez porque estamos en la parte alta de la montaña..., o porque los muertos del cementerio soplan para que no los olvidemos.

¿No le costó mucho llegar? Hay una leyenda de aquí..., dicen que cuando alguien viene a buscar a una de las Aguablanca con malas intenciones, el caserío se pierde y no hay modo de encontrarlo. [Ríe.] Figúrese que hasta ha corrido la bola de que estamos embrujadas. Y ahora, con esto de Candelaria, ya ni ayuda nos manda el alcalde. Pinche alcalde Benítez.

Recuerdo que Virginia se mecía... Apestaba todo a miados y a mierda. Ella estaba inquieta viendo por la ventanita de su cuchitril. ¡Mi ciela! Como esperando algo. Como si alguien fuera a salvarla. Daba vueltas como un trompo la pobre amarrada a su tobillo. Balanceaba su cabeza de un lado al otro. Ambas teníamos frío y yo me acurruqué en sus piernas secas. Lloraba por las piñatas, por los dulces, por mi juguete y ella me consolaba con su silencio..., tan único. Seguramente sin entender nada. Entonces vi sus ojos y ella vio los míos y nos quedamos estancadas así, largo rato, intentando encontrarnos. Como hipnotizadas. Le juro que mi hermana estaba poseída por un ángel. Entonces le solté el lazo que la ataba al tobillo, con los dientes lo arranqué, con lo que había..., y la ayudé a escapar. Y no me importó nada. Ni la golpiza que me esperaba. Hubiera muerto por ella en ese momento, se lo juro. Jamás voy a olvidar su mirada de gracia, tan bella, se puso tan feliz..., su piel caliza agarró el color de las rosas. Sus ojos apagados se encendieron, iluminaron la habitación completa. Su cuerpo soltó un aroma a flores..., como a azucena..., ya no distingo lo que ocurrió o si me lo imaginé un poco, pero salió corriendo y se brincó la barda perdiéndose en la montaña. Y rebasó los bordes. Cruzó el inmenso muro verde. Al menos ella podía ser libre, pensé. Yo la vi perderse por la pequeña ventana. Seguro sintió el viento y dejó atrás la cárcel en la que todas vivíamos, cada una a su manera. De seguro pudo ver la luna que tanto le gustaba sin un techo pajizo de por medio. Días tardaron en encontrarla. Apareció en una casa..., ya sabe, de citas, en el pueblo de San Vicente. Es que no es nada fea.

¿Que qué me pasó a mí? Vea, yo me inventé una historia de padre y señor nuestro, que por puro milagro divino, amén, me creyeron. Pero con tal de repetir esa mirada como de ángel de mi pobre hermana la loca, lo hubiera vuelto a hacer mil veces. No sé si me va a creer, no sé si yo misma me creo, pero yo le vi las alas ese día. Y Dios lo sabe.

Es que usted no se imagina el daño que Candelaria nos hacía. A mí, que era muy miedosa porque había espantos que molestaban mis sueños, pues ella me asustaba todo el tiempo..., una vez me metió una culebra terciopelo en el camastrón que no estaba tan cadáver como ella dijo que creyó que estaba, y casi me muerde..., toda moribunda se zarandeaba debajo de mi almohada, como si me quisiera llevar con ella la desgraciada. Casi me hubiera matado. Por la gracia de Dios y de mis gritos, Lila entró a tiempo para arrancarle la cabeza..., aunque luego me hizo jurar no decir nada. Y me quedé callada.

Candelaria retaba a su papá, mi tío Vitalino, en pleno patio y se escabullía como zanate para que no le pegara. Se escondía por días. Seguro debajo de las enaguas de Lila. Hasta que a mi tío Vitalino se le olvidaba de que existía. Eso gracias a las borracheras que se ponían con mi papá y mi otro tío allá, en la cantina Media Luna, o en La Estrellita. Recuerdo que Lila y mi pobre mamá los traían como trapos a la casa. Ya bolo mi papá, buscaba a Socorro para sacudirla a patadas. Pero lo que no le perdono a Candelaria es haber hecho mierda a mi pobre hermana que ya suficiente tenía con el infeliz de mi papá. Imagínese que una vez la hizo comer unas flores que sabíamos que eran venenosas, porque Lila nos lo había advertido mil veces, y por poco la mata. Agonizó por semanas, se fue en vómitos amarillos y quedó como hilacha desde entonces. Creo que ese veneno le curtió el alma a mi hermana. Como si las flores le hubieran envenenado también el corazón. Aun así, la Socorro seguiría a mi prima Candelaria hasta el abismo. Vi en la televisión que a los reyes de Egipto, creo, los enterraban con todo y sus sirvientes. Cerraban unas grandes tumbas de piedra, gigantes, bien oscuras con todos ahí adentro acompañando al muerto, ¡qué horror! Pues Socorro se iría hasta la tumba con Candelaria. Créame. [Voltea preocupada. Buscando a alguien.]

[La casa era una sola habitación. Empacada con delgadas paredes de adobe avejentado. Oscura. Una pequeña ventana, solitaria, nublada, que

93

daba a las montañas del norte. El techo de lámina tenía voz propia, no solo por los frutos de un aguacatal que caían como las gotas de una lluvia brava y rodaban hasta el suelo, sino por el zarandeo del viento. El olor a humo añejo revuelto con cera de candela parecía ser su principal habitante. Había un armario abierto a medias con poca ropa desordenada. Cuatro camastrones apretujados y a los pies de uno, una pequeña alfombra de arcoiris. Casi nueva, como de niña. Un poyo hecho de piedra cundido de ollas y un gran comal guardando silencio. En una mesita, como altar, tres fotografías familiares, la imagen del Cristo Crucificado, un manojo de ocote amarrado por la cintura y una veladora parpadeando.

Rosa Aguablanca tomó un respiro. Vestía una camisa de muselina blanca floreada y una falda muy holgada de algodón con estampado que se difuminaba a causa del tiempo. Y algunos agujeros desperdigados. El cabello desordenado y sandalias negras. Tomó una mantilla bordada, la dobló cuidadosamente y la guardó en su bolso desvencijado como preparándose para salir pronto. Eleuterio Amado la imaginó mejor vestida y peinada con un chongo semisuelto y supuso que la mujer tenía lo suyo. Sintió agobio, dirigió su mirada al vano de luz de la puerta medio abierta. Vio árboles viejos y unos claveles secos en el arriate. Sacó su pañuelo, revisó la grabadora y ansió estar de vuelta en su habitación del hotel antes de las cinco. Sacudió disimuladamente a un perro que se rascaba el jiote en su pantalón. Se puso de pie y se recostó en la puerta para respirar el aire fresco de montaña. Unos niños apuñuscados debajo del platanar tramaban algo que no logró determinar. El sol se pegaba en su rostro. Detuvo la atención en la pila del fondo y supuso que la puerta maltratada conducía al infierno de Virginia. La curiosidad lo mordía y lamentó no poder liberarla de una vez y para siempre.

Pensó en Teresa, en su cuerpo suelto por ahí, a la deriva. Quiso olfatear sus huesos, como lo hacía todos los días. ¿Y si está más cerca de lo que creo? ¿Y si está aquí?]

Mire pues, cuando vino el primer bombero a la estación del pueblo, pinche estación que solo tenía una manguera y un carro que jamás arrancó, Candelaria lanzó a Socorro a sus brazos y cobró por eso. ¿Se lo puede creer? Volvió puta a mi hermana y ella sin saberlo. Yo sé que la obligó a entregarse a ese infeliz. Socorro por una miserita y se muere de amor, estuvo a punto de quitarse la vida porque creyó que el tal Bernardo la quería bien. ¿Y Candelaria la vendía por pinches veinticinco centavos? ¡Mierda! Yo se lo dije mil veces, traté de abrirle los ojos a tiempo a mi hermana, pero no se dejó. Estuvo a punto de lanzarse al río. En serio. Por su mente pasaron pensamientos oscuros, impulsos pecaminosos. A punto de irse directo al infierno. Que Dios la perdone y la cubra con su manto, amén. El destino del bombero que se lo cuente ella. Candelaria. Porque desapareció de la noche a la mañana dejando su sangre pringada en todas partes.

Candelaria es mala, se lo digo yo. Siempre lo fue. Pateaba a las gallinas y me culpaba a mí, se robaba las cosas de la tienda..., y si no es por Lila, que se revolcaba con don Cornelio todas las semanas, la hubieran metido a la cárcel por delincuente. Y aunque usted no me lo crea, no tenía ni doce y ya se decía por ahí que había matado a dos, a un infeliz gringo, en el cine Ramo de Uvas, y a un jornalero de La Milagrosa que nomás iba pasando por ahí. Ella siempre lo negó, pero que se rasque al que le pique.

Lila siempre le salvó el pellejo...

Yo era novia de un muchacho que me quería bien. Se llamaba Dino. Y me respetaba. Unos niños los dos, pero pensábamos ahorrar para casarnos. Era ayudante de albañil..., muy buena persona. Tenía los ojos tristes, pero así somos los pobres. Yo lo quería también. Él hasta le habló a mi papá, pero mi papá le dijo que antes yo tenía que irme a la ciudad a trabajar y llevarle buen dinero, porque era él el que iba a perder con ese matrimonio. Como si yo fuera su madre para mantenerlo. Es que a mi papá no lo quiero, y tengo razones suficientes. Dios lo sabe y me exculpa por este impuro sentimiento. Aunque tuviera que rezar cien rosarios diarios, pero mi corazón tiene memoria.

Entonces Lila me preparó para mi primera casa, allá en la capital. Yo brincaba de la emoción porque había estado trabajando de barrendera en la carpintería de la funeraria Ramo de Uvas. Tanto aserrín me dañó los ojos y por eso ahora uso lentes y padezco de tos crónica. Si lo miro en la calle no lo reconozco, así que no se vaya a creer que soy plomosa, es que de noche casi solo miro sombras. Además siempre hemos tenido que ayudar en la casa. Mi papá nos arrastraba si no traíamos dinero. Mi mamá siempre fue callada. Una piltrafa, la pobre. Pocas cosas le escuchamos decir en la vida. Jamás olvido cuando Socorro y Candelaria se negaron a casarse. No se imagina el escándalo..., la que se armó. Hasta Bernardo paró en la casa creyendo que había un incendio. Entre mi papá y Lila las encerraron en el cuchitril de Virginia, ahí, detrás de la pila, y les cayó una penquiza de padre y señor nuestro. No las mataron solo porque Dios es grande. Amén. Entonces fue que la escuché a mi mamá decir entre dientes: ¡malditos! Pocas cosas dijo en su vida. Dicen que la miseria te roba las palabras. Pero sé que nos quiso, a su manera, pero nos quiso. En silencio, pero nos quiso. Ni en los partos se quejó la pobre. Ni cuando estaba agonizando, retorcida en su dolor, dijo ni pío. Creo que mi mamá jamás fue de este mundo. Era una santa. Amén. Aunque he de contarle algo muy extraño, algo que siempre me ha rascado el alma. Agárrese bien: vea, mi mamá adoraba a Candelaria. No sé por qué, pero desde niña la adoró. Dicen las malas lenguas de la pila que mi mamá la llamó un día antes de morir. Es que me duele contarle esto..., pero juran que alguien dijo que oyó a mi mamaíta suplicarle a Candelaria que le quitara el aire de una vez por todas. Que ya no podía más con ese dolor maldito. Que le rogó calladito que la matara. La Candelaria se fue a su cuarto y volvió a la mañana siguiente, ella también la quería mucho..., Candelaria adoraba a mi mamaíta..., eso sí que no lo puedo negar. Al salir de ahí, mi mamaíta había muerto. [Llora.] El padre Romero dice que debo sacarme esas cosas de la cabeza, que solo me torturan y me hacen pecar con malos pensamientos. Amén.

Pues llegué a la casa de los Peralta una tarde de octubre. ¡Cómo olvidarlo! Lila me fue a dejar a la parada y me encaramé a la camioneta ¡tan asustada! Encima de todo, me maree y hasta pararon tres veces en el camino para que vomitara. Es que a mí me fastidia el ajetreo. El patrón, don Javier, fue a recogerme a la terminal de buses Monja Blanca. Yo venía muerta del susto, más pálida que la palidez, repasando las instrucciones de Lila una y otra vez, vea que hasta las llevaba apuntadas en un papel ajado. Pero, aunque usted no me lo crea, de los nervios se me olvidó lo poco que sabía leer. Te quedás ahí parada hasta que el señor llegue a recogerte. Se llama Javier Peralta... No te movés de ahí. ¿Y si no llega? Claro que va a llegar, nadie deja a una sirvienta plantada. Somos su salvación. Y eso es cierto, hay quienes prefieren a la muchacha que a su propia madre. Javier Peralta, Javier Peralta, Javier Peralta, repetía como loro sin memorizar nada. Usted no se imagina lo que se siente llegar sola por primera vez a la capital. Yo era de montaña, de monte, de pueblo pequeño. De un cantón salvaje, aunque Lila me había enseñado mis cosas, no se crea... A poner una mesa de gente rica, a planchar con yuquilla, a usar bien el teléfono, a no contradecir y, sobre todo, con los ojos en el suelo. En las calles había un griterío de padre y señor nuestro, bocinas que chillaban en los oídos, alaridos de vendedores y yo, íngrima con mi alma. Hasta una pobre mujer atropellada vi, ahí arrimada en la banqueta con una frazada agujereada encima. Le vi los pies. Y estaban cansados. Y cuando el bus se detuvo con un brusco frenazo, ahí estaba él. Javier Peralta. Al nomás bajarme lo supe. Era muy joven, con unos ojos grandes, como semillas grandes. ¡Cómo olvidarlo! ¿Rosa? A duras penas pude decir: sí. Soy Rosa Aguablanca. Yo quería morirme de vergüenza. No sabía cómo conversar con alguien tan..., tan ¿blanco?, puro de las películas..., fue como si me hubieran robado las palabras de al tiro. Mi cabeza era un guacal vacío. Un quinqué sin gas... Aunque usted se ría, mi cara se quemaba y la sangre se me quería salir del cuerpo. Temblaba. ¿Ha visto las lagartijas acorraladas por un gato? Así me sentía yo.

Me subí por primera vez a un carro fino. Un Ford azul..., se lo digo porque me tocó lavarlo muchas veces. Yo quería irme junto con mi tanate en el baúl, desaparecer, pero él, siempre tan amable, me sentó enfrente. A su lado. ¿Conoces la ciudad? No, patrón, no conozco. Pues tienes que aprender para no perderte cuando salgas a pasear..., no, patrón, yo no voy a salir, solo cuando mi prima Candelaria vaya a traerme para ir a mi pueblo.

Yo no quería hablar más, ¡era suficiente! Sabía que él sabía lo tonta que era. Que se daba cuenta de que mi mente estaba en blanco. Vacía. Temía que me mandara de regreso al pueblo y entonces no me podría casar con el Dino. Quería sumergirme entre la boca de la tierra y desaparecer, que me tragara completita y para siempre. Me sentía una nada. Y es que así se siente, ¿sabe? El camino fue largo, como eterno. La gente se atravesaba, unos carros se rozaban contra otros...

Carro rojo...

Carro negro...

Carro rojo, rojo..., blanco...

Es lo único que mi cabeza repetía. Como tarabilla.

Entonces el patrón don Javier puso una canción, ahora supongo que en inglés, que retumbaba justo al tiempo de mi corazón: bum, bum, bum. ¿Cómo olvidarlo? Si volviera a escuchar esa canción, le juro que la reconocería. Era tan ingenua, tan niña. Vi los edificios que mirábamos en la tele, cuando Lila y don Cornelio se tardaban más de la cuenta en sus asuntos..., ya sabe, terminaba Tarzán y empezaban las noticias: las grandes avenidas, la gente alborotada..., lo amé todo desde el principio. Y también lo odié. ¿Cómo es posible? Si no hubiera sido por Candelaria, yo sería todavía feliz. Pero crecí a la fuerza. Aunque en realidad, los pobres no tenemos derecho a darnos tiempo. Eso es para los ricos. También oí decir que somos diferentes para querer. Que solo los ricos quieren con toda el alma. Eso es mentira.

Cuando llegamos a la casa de los Peralta me quedé muda. Se lo digo en serio... En la entrada colgaba, como campana, una enorme lámpara de cristales que no me hubiera sorprendido tanto de haber sabido que me tocaría limpiarla. Lágrima por lágrima encaramada en una escalera. Unos pisos cuadriculados, brillantes, que no me hubieran fascinado tanto, de haber sabido que me tocaría trapearlos por todos sus lados. Cuadro por cuadro. Alfombras que tenía que aspirar. Bueno, primero aprender a usar una aspiradora..., si viera eso... [Ríe.] Mi pequeño cuarto no estaba nada mal. Fue mi mundo ese cuarto. El paraíso y el infierno. Y todo por culpa de Candelaria. Por eso le digo que ella algo tuvo que ver con lo que le pasó a esa señora Teresa.

Sí, le explico.

Doña Paty era buena. Ella no quería tener muchacha porque, como recién casados, quería hacerlo todo sola. Para su marido. Aprender a cocinar, aprender a planchar..., pero poco duró su entusiasmo, hasta que su madre contactó a Lila, no sé cómo la verdad, para conseguir una buena empleada. Fue amable conmigo desde el principio. Escogimos juntas mi uniforme. Recuerdo que la gabacha tenía florcitas de colores. Y qué bueno porque yo solo tenía dos vestidos gastados y un suéter verde todo machucado. Recorrimos juntas la casa... Eres muy arrecha. Gracias señora. Es que ahí donde nos ve, las Aguablanca tenemos lo nuestro. No tenemos nada que envidiar. Ya le dije que hasta mi hermana la loca tiene lo suyo. No olvido esa primera noche. Era la primera vez que dormía sola en un cuarto. Extrañaba este olor a humo y a candela. El calor del poyo. El ronquido de mis hermanas. Pero tenía mis propias sábanas, mi propio baño y un armario a todo dar con espejo y todo. Y..., no podía creerlo, tenía una pequeña televisión solo para mí. ¡Me sentía la elegida de Dios!

Aprendí rápido con doña Paty: eres muy lista. Gracias señora, y yo me fui soltando poco a poco, hasta que sin sentirlo, sin darme cuenta, me hallé. Como si Diosito me hubiera puesto ahí con sus manos divinas. En las noches los miraba cenar a los dos desde la cocina, me encantaba cómo se miraban. Y pensaba mucho en el Dino, en que todo lo estaba haciendo por él. Que yo lo iba a ver así, que le iba a decir las mismas cosas bonitas que doña Paty le decía al patrón. Es que cómo lo quería. Y a veces me desvelaba escuchando sus amores, allá en el segundo piso. Nada parecidos a los de Lila, claro. Me envicié con una telenovela que pasaban a las once, Candelaria me la clavó y, la verdad, tampoco me ayudó porque solo me metió cosas del diablo en la cabeza.

Candelaria pasaba por mí cada quince, cuando nos tocaba ir al Caimán. Ve Rosa, Rosita, tú sos muy bonita y tenés que sacarle el jugo a eso…, dejate de vestir como monja y agarrate a ese patrón tan buenazo que tenés, me insistía campante mi prima en el zarandeo de la camioneta. ¡Cómo se te ocurre!, decía yo asustada. Eso si vos querés salir de la mugre en la que vivís. Y así empezó todo…

Yo le juro que jamás lo hubiera pensado. Yo quería mucho a doña Paty, era muy buena conmigo. Por mi vida no había pasado hombre. Solo las ganas del Dino. Pero Candelaria me metió el diablo poco a poco. [Se persigna.] Amén. Me regaló dos blusas y una falda. Bien pegadita al cuerpo. Y más corta que el uniforme. Yo miraba cómo ella le llevaba regalos a Lila, la tenía feliz. Figúrese que lo último que le trajo hace poco, por esos días pues…, fue un candelero de plata que la vieja tiene sobre la mesita donde come. Lila se lo enseña a todos. Lo presume como si fuera la misma luna la que tiene ahí sentada en su mesa. Es que Candelaria se volvió tan elegante y más presumida de lo que ya era. Y, la verdad, me daba rabia. En parte yo quería ser como ella. Ya ves, regalos de don Lars, me decía en secreto.

¿Cómo? ¿Qué si alguien más la oyó decir eso? Todas...

Aunque no le niego que ese último día que vino, por ahí cuando la señora Teresa desapareció, recuerdo que vino embrujada. No habló con nadie. Se perdió un buen rato porque todas la fuimos a buscar a su cuarto. No estaba por ningún lado. Luego apareció como agotada. Sucia. Vaya Dios a saber... Dicen que su patrón la trajo ese día, aunque a mí no me consta, y si miento voy a seguir acumulando pecados. ¿Qué quién lo sabe? Pues pregunte por ahí.

El padre Romero dijo en la misa del domingo pasado que doña Teresa lleva cumplidos dos milagros. ¿Será cierto? Que un niño moribundo volvió a la vida y que una desahuciada se curó de la nada después de rogarle. ¿Usted sabe algo de eso? Que le dicen la virgen desaparecida. ¿Será una santa? ¿Tan rápido? Pero si ni muerta la han encontrado... Eso sí que es adelantarse. [Ríe.]

Uno puede caer tan bajo. Le sigo contando.

La cosa es que todos los viernes doña Paty salía con sus amigas y don Javier invitaba a sus amigos a la casa. Un trato que tenían ellos. Me pedían desvelarme un poco para poder atenderlos con cosas sencillas..., ya sabe, algo de comida, poner hielo, limpiar los ceniceros..., bebían muchas cervezas y miraban cosas en la televisión, partidos de futbol o algo así. El señor Pedro, el mejor amigo de mi patrón, llegaba a la cocina más de la cuenta a traer cervezas que yo podía llevar o a dejar envases que yo podía recoger. Eres muy bonita, me dijo al oído mientras abría el refrigerador conmigo de por medio. Yo me asusté y corrí a mi cuarto. Sentí un calor por todo el cuerpo que no se me quitaba... Pero por culpa de Candelaria el asunto no se quedó ahí. Yo le comenté algo y ella, en lugar de consolarme, me animó. ¿Ves? ¡Te lo dije! Dejate, no seas mula..., el Dino jamás se va a enterar, yo te ayudo. Y si te haces unos pesos extra, mejor.

Al viernes siguiente me animé. Me quité el uniforme y me puse la blusa y la falda corta. Me paré frente al refrigerador con las piernas más abiertas esperando a don Pedro. Es que yo no sabía nada de esas cosas. Y él llegó, y se dio cuenta. Espéreme en su cuarto. Fue la primera vez que tuve a un hombre encima..., brusco, al grano, como decimos en mi pueblo. Me besuqueó toda, me mordió un pezón y me jaló de las greñas. Cuando se subió los pantalones, me dejó un billete de veinte sobre la mesita de noche, y yo... Desolada. Como si un ejército en plena guerra me hubiera pasado encima. El siguiente viernes fue otro amigo del patrón, don Lucas. Entró a la cocina mientras don Pedro entretenía a don Javier. La pura verdad es que no sé si don Javier se hacía el loco. Me bajé la blusa más de la cuenta y dejé que don Lucas se me acercara, y me hizo cosquillas en el cuello..., y me reí..., y le dije que no..., pero su mano blanca y fuerte se apoderó de mí, ya sabe, y por poco y no llegamos al cuarto y lo hacemos ahí mismo, en la cocina. Sin darme cuenta yo era una experta y..., no sé cuántos fueron..., como cinco, ocho tal vez. O más. Me da mucha pena decir esto, pero el billete en la mesita de noche me hacía feliz. No se lo tenía que dar a mi papá... Imagínese. Era solo mío. Es difícil explicarlo pero la pobreza deja marca, señor. Y yo me moría un poco cada viernes sin darme cuenta todavía.

Por culpa de Candelaria parecía gata en celo. Durante largas horas en el bus, ella me enseñaba cosas y yo llegaba a desahogarme con el pobre Dino que me creía más santa que la Virgen María. Amén. Solo en eso pensaba, en tener a un hombre encima. Tenía el diablo adentro y mi único destino era el infierno. Y lo peor es que me gustaba. Recuerdo que cuando hacía el deadentro, hasta fregaba mis nalgas contra la baranda de las escaleras, desesperada. Ansiando que llegara el viernes... Para morir un poco más. Para caer en el engaño del demonio. En el pecado mortal. [Se persigna.] Amén. Y la pobre doña Paty, ni enterada de lo que estaba pasando en sus propias narices. Yo..., había encontrado en eso una salida, olvido, salvación. Y me encantaba. Me enteré de que mi cuerpo servía para algo más que para sentir hambre, o los golpes de mi papá. Hasta que el día fatal llegó.

Yo aspiraba la alfombra de la sala. Tenía encaramado el uniforme. Apretado por las piernas. Me movía con ritmo de perinola de feria sin darme cuenta que don Javier me estaba mirando. Perdone, don Javier, ya terminé. No se preocupe, usted siga por favor. ¡Casi me muero! Él era un hombre decente y quería mucho a su esposa. Solo sonrió y se retiró a su cuarto. Pero por culpa de Candelaria..., no nos dejes caer en la tentación, amén...

Había calor esa noche, cómo olvidarlo. Yo sacaba vapor por la piel, casi podía verlo..., como las ollas con agua antes de hervir. Salí a buscar algo a la cocina que quedaba pegada a mi cuarto. No recuerdo qué. Mi tele estaba prendida porque venía mi telenovela. Tenía sed. Yo, ahí parada con mi suéter verde, de espaldas, y don Javier llegó justo al mismo tiempo a traer una cerveza. Recién volvían de una cena. Yo se la sirvo don Javier... Y el vapor se me desprendió del cuerpo..., se le metió en sus narices. Y las palabras de Candelaria llegaron a mi cabeza. Llenó este guacal de pura mierda. [Toma su cabeza con ambas manos.] Un patrón es como cualquier hombre, Rosita, si no te lo echás tú, se va con una puta.

Todo pasó. Nos manoseamos por una tontera y terminó siendo el acabose de mi vida. Me da tanta pena explicarle esas cosas pero... Pero ya no hay tiempo y necesito que me entienda que Candelaria tuvo algo que ver con don Lars. Era su modo. Sé que ella hubiera hecho cualquier cosa con tal de quedarse con él. Porque a mí me lo dijo varias veces. Además adoraba a esa niña. Demasiado. Las últimas veces que vino al Caimán, era otra. Siempre con sus tacones finos y bien vestida. Sobornando a Lila y embrujando a mi hermana. Pobre mi hermana Socorro, le ha ido peor que a mí.

Don Javier enloqueció. Llegaba antes de tiempo para poder toquetearme toda. Era alto, castaño y con la espalda cundida de pecas. Ah, tenía ojos de mar. Y mi cuerpo se acostumbró, se envició con él. Era como si yo hubiera nacido para ser suya. ¿Y el pobre Dino? ¡Lo mandé al olvido!

El patrón fingía haber dejado algo y volvía a la casa para meterse en mi cuarto. Bajaba a la cocina a cada rato. Me rozaba frente a doña Paty, como si nada. Si ella se volteaba, me frotaba las nalgas el descarado. Era su juego. Pero yo era suya y lo sentía normal. Me hubiera podido matar que yo no hubiera dicho ni pío. Lo esperaba sin hacer bien el oficio. Para servirle, le decía cada vez que él entraba en mi cuarto. Se me olvidaba todo y andaba desganada, solo pensando en el pecado que Candelaria me metió en la cabeza. Sudaba todo el tiempo... El olor del diablo. En serio. A media noche él se levantaba y aparecía frente a mí, viéndome dormir. Metiéndose entre mi vaho por segundos... Mi amor, ¿estás abajo?, gritaba doña Paty. Sí, ya voy, solo vine a buscar unas galletas. A mí que no me pregunten, pero esto fue algo muy parecido a la maldad. A las manos del demonio. Amén. [Se persigna.] Me dejaba billetes debajo de la almohada cuando me tocaba ir al pueblo, para que me comprara calzones bonitos para él. Y Candelaria me alentaba a seguir con eso. Éramos como cómplices. Pero me empujaba al abismo todo el tiempo. Me enseñó cómo tratarlos, qué hacerles..., cosas de mujeres que obviamente no voy a contarle, pero es para que me entienda. [Pensativa.] No me mire así, ¿cree que una muchacha como yo no puede hacer feliz a su patrón? Desnudas todas somos iguales y servimos para la misma cosa, me decía Candelaria. Quise marcharme varias veces, pero la sola idea de volver a Ramo de Uvas a barrer aserrín y a oler muertos, me mataba. Me sentía culpable con doña Paty. Y más con Dino. ¡Sí! No se ría de mí..., en serio me sentía culpable, porque su marido era más mío que de ella. Yo, que era una miserable, tenía lo único que ella quería.

Y para ir al grano... Hasta que el día llegó. Las dos quedamos embarazadas al mismo tiempo. [Cubre su rostro con ambas manos.] ¿Lo puede creer? ¡Imagínese! Es que puras las telenovelas que miraba... Escuché el relajo de la celebración en la sala de la casa, con sus amigos y parientes. Don Pedro me miró como mierda. Como si no se hubiera dado sus gustos conmigo. Don Lucas peor. Abrieron botellas, brindaron por el futuro niño, tiraron la casa por la ventana. Y yo vomita que vomita; llora que llora, mientras limpiaba aquel relajo. Doña Paty brillaba de felicidad y yo me marchitaba como esas flores de un solo día; se abren sus pétalos al amanecer y se marchitan al anochecer. Envejecía con un niño que me nacía adentro, nos moríamos juntos los dos antes de nacer.

Y don Javier ya no llegó a mi cuarto. Se puso serio conmigo. Me gritó varias veces por el polvo o algo así. Por cualquier tontería. Me odiaba. Pasó de ser mi ángel a ser mi demonio. Y todo por culpa de Candelaria. Las choleras en su lugar, le dijo una vez una patrona a la Lorena. Y qué razón tenía. ¿Cómo iba a explicar mi embarazo? ¿De cuál de todos era el niño? Quería morir. Si me hubieran dado una pistola yo le juro que me hubiera zampado un tiro... y mil veces. Solo Dios me salvó. Amén.

Cuando Candelaria llegó por mí para ir al pueblo, le dije lo que me pasaba..., tenía que hacerlo porque si no, me hubiera muerto ahogada en mi propia mierda..., me puse a llorar, estaba desesperada. Pero qué mal te veo, estás pálida, hecha posta y más flaca todavía. Ese hombre te está dando duro, dijo riendo a carcajadas. Yo no sabía qué hacer. Entonces se lo solté. Se me olvidó contarte de dónde vienen los muchachitos. Y se rio más fuerte. Entonces entré al lado oscuro de la vida. No se imagina..., perdí todo, conocí la verdadera pobreza. ¿Mi papá? Aunque usted no lo crea mi papá no dijo nada porque le sigo dando dinero.

Candelaria es ingrata. Por su culpa perdí al Dino. Por su culpa don Javier me echó como a un perro cuando se lo dije..., ese niño no es mío, ¡estás loca!, si sos poca cosa, una cualquiera, una puta. Si se te ocurre decir algo, te meto presa, me dijo con una frialdad de hielo. [Llora.] Por su culpa traje al mundo a un pobre niño que ya sabe lo que es el hambre. Yo le supliqué a Lila que me ayudara para no tenerlo, que Dios me perdone todos mis pecados, amén. Pero ya era demasiado tarde porque el muchachito ya estaba logrado, a punto de nacer. Y es que cuando uno es desnutrido los embarazos ni se notan.

Y de seguro que por su culpa don Lars le hizo algo malo a la señora Teresa. Es que Candelaria no es cualquier cosa. Andaba de mujer de su patrón. Y del Jonás también. Porque me lo dijo muchas veces. Me enseñó lo que les hacía... Su patrona le estorbaba. Sobraba para sus planes. Porque Candelaria siempre tiene un plan. Desde niña. Tenga cuidado con ella. Yo la conozco.

Y aquí estoy yo, con los recosidos de mi alma. Esperando el perdón eterno y que algún día vuelva a ser la elegida de Dios. Amén.

Véalo ahí, el que está corriendo detrás del gallo pardo. El blanquito, el más pálido..., un corazoncito bueno, ese es mi hijo Julián. ¿Y qué iba a hacer yo? ¡Ser pobre es una mierda! Pero no por las cosas que no se tienen, sino por la dignidad que se pierde. Toda.

¿Será en serio que hace milagros la desaparecida? Dígame, así le pido por mi prima. [Se retira.]

El Caimán

Prudencia de Benítez, vecina

Pecado mortal

Mucho gusto. Me llamo Prudencia de Benítez, esposa del alcalde. Pienso en mis hijos como todos; me preocupa mi pueblo. Nací aquí y aquí he vivido toda mi vida. Y aquí me van a enterrar. ¡Adoro este lugar! Y todo lo hago por mi gente.

Hay unas cascadas que brincan de las montañas, ahí nomás cruzando el valle. De agua blanca. Si tiene tiempo, le recomiendo que vaya. Ahí pasábamos los domingos en familia... También hay grutas que visitar. ¡Un espectáculo!

Vea, si me arriesgo a hablarle a usted, es porque quiero salvar el honor del Caimán que, por estos días, anda por los suelos por culpa de Candelaria Aguablanca. Interrumpo su almuerzo un minuto nada más porque también traigo un mensaje de mi marido. Pertenezco a la asociación de las damas católicas del Caimán..., por eso voy a fingir que le estoy vendiendo un número de la rifa para los niños pobres. Sígame la corriente y haga como que hace, porque aquí hay ojos por todos lados... Vine para advertirlo de algo: usted corre un peligro que arde. Está vivo por milagro para ser más exacta. El Jonás lo anda sondeando. Es el amante de Candelaria, la presa. Cuando ella venía al pueblo, cada quince días, se le iba a meter al cuarto, y apenas si salían de ahí para tomar aire. Todo el pueblo se enteraba de sus fechorías. Yo conozco muy bien al Jonás. Para qué le voy a mentir..., es mi primo, hijo de Adelita, la hermana de mi mamá. Y antes de meterse con esa mujer era bueno. Todo tranquilo y estudioso. Muy inteligente, además. Mis tías decían que era un genio de esos que pueden hacer con su vida lo que quieran. ¡Y mire a dónde fue a parar! Sé que planificaron algo juntos. Es que juntos tienen un solo corazón podrido. ¡Comparten el pecado mortal!

¡Gracias! Me puedo sentar solo un minuto. No me gustaría que me vean conversando con usted. Solo llene la lista con sus datos... Ya sabe..., la gente confunde las cosas.

Yo fui vecina de las Aguablanca toda la vida. Crecí en el caserío Santa Clara. Que queda a medio kilómetro de distancia. Hasta antes de casarme con el alcalde viví ahí. De eso hace mucho tiempo. Pero mi mamá jamás me dejó jugar con ellas. Tenían mala fama y no era por gusto. Fuimos juntas a la escuela pero a ellas las sacaron al terminar primer grado. Yo ya estaba en sexto y me acuerdo muy bien de todo... Es que soy un poco mayor que Candelaria, aunque no se note. Es que son unas criminales. Ella está presa, ¿verdad? ¿Sabe algo? ¡Cuénteme, por el bien de este pueblo! Es que sin oportunidad de estudios, la vida es una vaina... Y ellas tan pobres. Tan miserables. Mi mamá les regalaba comida a veces. Una vez me mandó a mí, mi mamá tan buena..., y Candelaria, en vez de agradecerme la caridad, me aventó las remolachas una por una y me abrió la cabeza... ¿Se da cuenta? Para colmo de males, aunque mi mamá llamó a la policía, no se la llevaron.

¿Usted está casado? ¿Tiene hijos? Yo ayudo en la escuela del pueblo todos los años. La mando a pintar y se arreglan los escritorios gracias a la caridad de la asociación de damas. Organizamos la fiesta de los azacuanes que es muy prestigiosa en la sociedad de toda la región. Ahí recaudamos fondos para comprar sillas de ruedas. También hacemos bingo o lotería.

Pero en cada fiesta de caridad que se celebra en el Palacio Municipal, las Aguablanca se ponen afuera a hacer escándalo con los borrachos. A vender guaro y sus favores, imagíneselo usted..., y lo arruinan todo.

A las Aguablanca se les acusa de ladronas, rameras y hasta hechiceras. Tienen un pacto con el mal. Cuando fue el temblorón aquel que botó todo por esta zona, solo su caserío quedó intacto..., seguro que el diablo lo sostuvo con su cola..., eso la gente no lo olvida, señor. Y le insisto en que Candelaria es la peor de todas. No son solo rumores ni chismes. No se crea. Si no, pregúntele a Cornelio, mi tío. Hermano de mi papá. El dueño de la tienda más famosa del pueblo. Un hombre honorable que odia a la tal Lila que siempre le ha ofrecido favores de todo tipo a cambio de comida... Usted me entiende. Una regalada la doña. Pero mi tío es intachable y su esposa..., él es un amor de marido. Tenga mucho cuidado con ella, porque lo embruja en un dos por tres y lo convence de ser tan mansa..., como un estanque.

Esa, la abuela, imagínese que ayuda a morir a las personas. Pecado mortal. La vienen a llamar de todos lados para dizque quitar el dolor..., y también la vienen a buscar para que interrumpa los embarazos de las señoritas casaderas. Y hasta las devuelve vírgenes. No señor, el honor de mi pueblo está perdido.

Se les ha visto caminar hacia el cementerio a deshoras. ¿Qué van a hacer ahí? ¿A desenterrar muertos? ¡Qué horror! Y eso yo se lo juro por mis propios hijos. Se sabe que Lila tiene la llave colgada de su cuello. Dicen que vende cadáveres y transa con las cajas de muerto. Que cuando desapareció la señora Teresa se les vio empinar la montaña. Le han dado quejas al alcalde, pero él no puede hacer mucho si quiere conservar la vida y ver casarse a los patojos.

Acá todo el pueblo sabe que Candelaria también es amante de su patrón. Hasta la venía a dejar al pueblo en un carro fino. Ya tarde para que nadie se diera cuenta. Según ellos... porque eso yo lo vi con estos ojos, lo juro por el descanso eterno de mi santa madre. Una vez se bajó del carro como en las películas, en cámara lenta. Y un señor muy alto, muy alto, la tomó de la cintura para despedirse. Ese era el asesino de la pobre desaparecida, lo vi en los periódicos. Inconfundible ese señor, como un oso gigante.

De niña yo iba al cine todos los viernes, Ramo de Uvas se llamaba, con mi papá y mi hermana. Estrenábamos vestido seguido y nos sentábamos en las primeras filas. Y las Aguablanca limpiaban ahí..., y se robaban los monederos de las señoras en cualquier descuido. Mi papá, tan buen hombre, les compraba plataninas y les tiraba una moneda en los tablones para ayudarlas. Ay mi papá. Era un santo. Que Dios lo tenga en su gloria, que mis palabras no lo ofendan, que descanse en paz, amén.

Es que daban lástima. Parecían animalitos salvajes las pobrecitas. Quién las viera ahora. Una, hasta presa está.

Es mucha casualidad que se haya desaparecido justo la esposa del patrón de Candelaria, ¿no cree? ¡Justo de ella! Acá en El Caimán lo sabemos todo, pero no podemos decir nada porque es muy peligroso. No crea que usted lo sabe todo, no crea que esto se trata de usted…, como dice el dicho: no se peine porque en esta foto usted no sale.

Por eso vine aquí, a escondidas. Y si mi marido se entera de que hablé de esto con usted, ¡me mata! Candelaria no tiene alma. Y el Jonás…, hasta decir su nombre me da miedo. [Frota sus brazos.] Imagínese que mi marido tiene que obedecerle a ese bandido de mi primo. Santo Cristo de las Angustias. Avalar sus fechorías y quedarse calladito… Si hasta miedo le tiene. Candelaria lleva varias almas a cuestas. La de un pobre gringo que le dio en pleno cine, y la de un trabajador de La Milagrosa. Un buen hombre que pasaba por ahí. ¿Qué? ¿Qué ese gringo no se murió? Pues no importa…, pero casi lo mata. Por aquí todos dicen que es más mala que la propia bilis. Se sospecha que también tuvo que ver con la misteriosa huida de un bombero del pueblo. Un buen muchacho.

Su hermana, Socorro, fue mi muchacha en un restaurante que teníamos con mi marido hace años…, se llamaba Sol Naciente, pero tuve que sacarla por ladrona. Por malagradecida. Por igualada. Si así son todas las muchachas. Mi buen marido cómo la quería y la trataba bien. Hasta cayó en cama de la pena cuando ella se fue. Le dio no sé qué mal... Esa infeliz lo acusó de violador en mi propia cara. ¿Lo puede creer?, el ahora honorable alcalde Benítez. Si es un santo varón...

Ni para muchachas sirven, porque viera en los líos que se meten. Patronas las han venido a buscar al pueblo para reclamarles lo que es suyo, pero no encuentran el caserío Aguablanca y se regresan espantadas por el cementerio. Es que ahí pasan cosas, no se crea... Y mejor no digo más, pero hasta una prostituta de oficio hay en esa familia, una tal Salvadora, ¡imagínese por Dios santo! Y ahora anda campante por el pueblo, como si se pudiera borrar el pasado así nomás. Seguro que nos quiere quitar los maridos... Yo le he pedido al mío que la saque del pueblo, por el respeto a la gente y el ejemplo a nuestros hijos, pero, al parecer, son intocables.

También escuché decir, y de buena fuente, que ese patrón de Candelaria algo tiene que ver con el Jonás. Póngale atención a esto... Que ella los presentó una vez que su patrón la trajo y que ahora tienen algún negocio juntos porque se les ha visto hablar. Desde que desapareció la patrona de Candelaria, el asesino ha venido dos veces al Caimán antes de que lo agarraran preso. Pero me voy corriendo. Recuérdese: si te vi..., no me acuerdo. Confío en su discreción. Y me debe lo del número de la rifa, quién quita y se gana algo.

Ah..., mi marido lo invita a cenar mañana. ¿Acepta? Vivimos en la Calle de La Llorona, en la casa celeste de la esquina. ¿Come de todo?

## El Caimán

## Lorena Aguablanca, hermana de Candelaria

## El amor más corto del mundo

Huí de aquella casa. Lo dejé todo. Puertas abiertas, sartenes en la estufa, el agua saliendo por el chorro del fregadero. Corrí hasta perderme entre las calles de concreto caliente. Iba descalza. Me fui. Todo por la bendita superstición que me está matando. Yo sabía que algo le iba a pasar..., y muy pronto. No quería vivir lo mismo otra vez. Una corazonada que me apretaba fuerte el pecho hacía días. Yo lo veía venir, hasta que lo escuché. Era definitivo: iba a morir.

¿Quién? Mi niña rubia, mi rubita, mi ciela.

Llamé a Candelaria aquella vez. Ya ni me acuerdo cómo lo hice porque no tenía cabeza, solo sé que ella fue a recogerme. Me abrazó y me consoló con cuidado, como se hace cuando una mariposa cae en tus manos..., casi ni se puede tocar... Me arrulló por largo rato como a un bebé. Y no me preguntó nada. Así las dos, en el parque Concordia, sentadas debajo de una tarde gris. Como metidas en un gran globo oscuro. Ella no tiene que ver en esto. ¡Nada que ver! Supongo que a eso vino usted conmigo, a saber de ella... ¿Me equivoco? Pues aquí no va a encontrar nada..., podremos ser de todo, menos traidoras. Espere..., quizá lo único que encuentre sea el cuerpo de la desaparecida. Es que a los muertos les encanta este aire de montaña. [Ríe recio.]

Entonces Candelaria me llevó a la casa de sus patrones. Los Mitchell. Ellos aceptaron tenerme ahí mientras me recuperaba un poco, por buenos que eran con mi hermana. Y ahí estuve unos días antes de volver al Caimán. Existí ausente en su cuarto, sin salir, sin seguir el rastro de los hilos de luz ni escuchar a los pájaros; sin hablar durante largas horas que se volvieron noches y se volvieron días sin darme cuenta. Todo estaba negro para mí, ¿sabe? Candelaria me dio de comer en la boca. Me bañó en su regadera con un jabón de rosas y me puso ropa limpia. Me peinó unas trenzas más largas de lo que yo recordaba que tenía desde que, de muy jóvenes, se las vendimos a un infeliz que andaba comprándole el pelo a las pobres... Pues rebasaron mi cintura como por embrujo. Es que dicen por aquí que a la gente triste le crece el pelo, ah, también que le da gripe. Pues a mí, para colmo de males, me dio una gripe de los demonios. Ella se unió a mi dolor y a mi silencio. Fue a buscar unas sus hierbas por ahí para curarme. Viera que es una maga para curar a la gente. Eso no lo hacen todas las hermanas. Solo las que no tienen pena de querer. O de morir con uno.

Vi cosas en esa casa... Aunque estaba turbada, atolondrada, pero me daba cuenta de todo. La señora Teresa se la pasaba encerrada en su cuarto todo el tiempo. Parecía un papel sin nada escrito esa señora. Y cuando bajaba a la cocina, lo hacía con lentes oscuros. Dizque porque tenía migraña. ¿Por qué tienes lentes adentro de la casa, mamá?,

118

le preguntó Angelita, su única hija. Porque me molesta la luz, Angelita mía, le respondió tan triste como me sentía yo. Y tuve lástima por ella, más lástima todavía de la que sentía por mí misma. Por mi corazón magullado. Una noche que me desperté parada a media cocina, es que soy un poco sonámbula y me despierto parada por ahí, los escuché discutir en la sala, y no me crea, pero hasta el nombre del Jonás escuché en ese pleito..., de seguro que me confundí. Peleaban por la casa, por una chequera o algo así. Él le reclamaba, a gritos, cosas de la iglesia y de un tal cura... Y, según escuché, ella no era ninguna mansa paloma como la pintan. Le tiró no sé qué cosas a la cabeza..., de seguro que por eso no hay tantos adornos en esa casa. ¿Y qué tiene que ver ahí Candelaria? Ese desgraciado de su marido le pegaba a su mujer. Eso lo sentí yo con mis propios presentimientos que no fallan. Además sé muy bien de esas cosas. Reconozco a leguas una cara cuando le han puesto la mano encima. Pero no por la huella de los golpes, sino por la nostalgia en su mirada. Por eso estoy segura de que mi hermana no toca pito en ese entierro. ¿Qué puede hacer una muchacha? ¡No me diga usted que algo! ¡Si solo somos choleras! Lo que no entienden es que una sirvienta obedece órdenes, nada más. Está para servirle. Es la sombra pegada a los pasos de su amo. Ella quería mucho a don Lars, eso sí no lo voy a negar, pero creo que era un amor nacido del miedo. Ese tipo de amor no trae nada bueno, solo desgracias. Yo se lo dije esa vez, con las pocas fuerzas que tenía, que tuviera mucho cuidado con querer a ese hombre de más. Los patrones no saben querer para abajo, le insistí. ¿Quién no va a tener miedo de un hombre así? Mi pobre hermana se dedicaba a la niña de la casa. Esa era su única preocupación. Consolarla, entretenerla, alimentarla, hacer juntas los deberes... Como yo con mi rubita. Con mi niña adorada. Por eso la comprendo. Es que Angelita es muy lista.

Usted no se imagina lo que es esa niña.

Ya no le tengo miedo a nada. Ni a los aparecidos. Tal vez sea lo único bueno que deja el dolor. Nos quita el peltre. Ya no hay qué perder. Se diluye todo. Como una cucharada de café en el agua hirviendo. Yo estoy vieja, más vieja que mi propia abuela. Ella misma dice que lo único bueno que trae la vejez es que podemos decir lo que se nos dé la gana. Ya ni dientes me quedan.

Antes que nada quiero aclararle que Candelaria es mi hermana. No me importa en qué líos ande metida. Con ella aprendimos a vivir. Nos acompañamos, nos contamos todo. Y si no fuera por ella, yo estaría muerta. Enterrada en el fondo de un río.

Aunque el cuerpo siga vivo, se vacía.

Por nuestras venas corre la misma sangre, la de este caserío, la de los Aguablanca. Si me preguntaran, yo diría que mi sangre está hecha de tierra de esta montaña. Y yo defiendo a mi familia. Es lo último que me queda. Me he dado duro con las viejas chismosas del pueblo porque se divierten inventando cosas. La última vez le jalé de los pelos a una tal Prudencia, muy finita ella, la esposa del alcalde Benítez, un viejo depravado..., es que se inventan cada cosa que usted no se imagina. El diablo se queda corto. Un gran lío que se me armó.

Tuve que esconderme en La Evangélica Cristo Rey hasta que pasara el escándalo. Esa mujer siempre ha odiado a Candelaria, ¿y sabe por qué?, pues por lo que generalmente nacen los odios más escabrosos: por un hombre, por el Jonás... Aunque son primos, Prudencia lo andaba persiguiendo desde niña y el Jonás ni bola le tiraba. [Ríe con gusto.] Y encima de todo, siempre le ganó en el concurso de Señorita Caimán.

Pocos recuerdos tengo donde Candelaria no aparezca. También quiero aclararle que aquí, en El Caimán, le han hecho mala fama solo porque ha tenido los huevos de salir de esta pocilga para no dejarse tragar completa por esta pobreza de mierda. Este pueblo es un infierno. Desde niña fue así. A mi hermana la culpaban de todo. Aunque le parezca loco, hasta de un temblor la culparon. [Ríe.] Ese que hizo pedazos todo hace como diez años. Menos el caserío Aguablanca. Nuestros cuartos quedaron intactos. El adobe se sembró en la tierra sin dejarse ningunear. Entonces dijeron que teníamos pacto con el diablo. ¿Se da cuenta de semejante estupidez? ¿Hasta dónde llegan las cosas? Mi hermana es como una leyenda. La Llorona se queda corta. La gente dice cosas, le encaraman varias almas..., es como la culpable oficial del pueblo. [Ríe.]

Candelaria creció muy cerca de Lila, nuestra abuela. Tragó todas sus mañas desde niña pero lista la Candelaria, que se pegó a la abuela y aprendió de sus cosas. ¿A quién le importa eso? Dicen que Lila la quiere más a ella porque somos nietas de don Cornelio, el tendero. Se dice que mi papá es hijo de ese señor. Que lo hicieron entre las conservas de su tienda en un alboroto de panes y bananos maduros. Me la imagino a ella, empinada en las botellas de miel... Que Candelaria es la que más se parece a él y que por eso Lila la ama tanto. Y es muy posible, porque de tanto que mi hermana le robó a ese señor, jamás la acusó. Es muy ordenada, igual que don Cornelio que tiene su tienda bien arregladita: los jugos en fila, las bolsas de cereal colocadas según su tamaño, los panes bien puestecitos en su vitrina. Vea el armario de Candelaria, parece una tienda en chiquito. [Ríe.]

Mire señor, yo no me complico la vida. Nada es blanco o negro. Y si me pregunta por Candelaria, yo le diría que ha pisado ambos lados. ¿Cuál es el problema? La pobreza lo devora todo, a las mujeres, a los débiles, pero jamás a los fuertes. Y ella ha sido fuerte. Por eso la quieren arruinar. Me contaron que andan diciendo en el pueblo que ella escondió el cuerpo de la señora Teresa, ¡por Dios! Han visto demasiadas películas. Y esa es la esposa del alcalde la que anda hablando tanta mierda. ¿Que si sería capaz mi hermana? ¡Claro que sí! ¿Y por qué no? Por eso está viva.

Trabajar en casa es cosa seria. Yo conozco lo que es no pasar de la cocina. La puerta se vuelve muro. Sé la curiosidad que se siente al mirar por un huequito de luz a los patrones para ver lo que hacen. Al principio uno los ve como dioses. Pero luego su desprecio nos vuelve malas. Y también he escupido su comida de la rabia. Les he robado alguna cosa..., para quedar a mano. ¿Cómo te salió la muchacha?, he oído preguntar mil veces a las señoras, mientras comen a la orilla de la piscina y ni cuenta se dan de que uno está ahí, parada, esperando alguna orden. Esta me salió rebuena, me gané la lotería. ¡Ni que fuéramos bacinicas!... ¡Ay, dichosa!, porque la mía es una bruta. Pero nosotras hacemos lo mismo, no se crea usted: ¿y cómo te salió la patrona? Una maldita la vieja. ¿Ve? Todo tiene su lado. Las cosas no son solo blancas o solo negras. La vida es como una ficha, siempre tiene dos caras.

Usted, señor, está frente a una mujer sin corazón. Se me fue muriendo poco a poco. Año con año se caía pedazo a pedazo, como la lepra que lo va deformando poco a poco, hasta que me quedé sin nada. Sí, tengo un corazón leproso. Y ahora sin mi rubita de sol... ¿Para qué necesito la vida? Esto que se llama pecho, está hueco por dentro. A veces hasta me pongo la mano y no siento mi corazón. ¿Lo puede creer? ¡Nada me sorprende! Cada olla sabe sus hervores. Y yo no soy juez de nadie. A nadie culpo.

De niña me tocó barrer la cantina Media Luna. Mi trabajo estaba en arrinconar borrachos, entre ellos a mi propio papá y a mis tíos. Ahí me pasó de todo. Di mi cuerpo detrás de las letrinas más de una vez. Todo por una maldita moneda. Pero eso no me preocupa porque, para mí, el cuerpo es como un trapo. Nada más. He pedido limosna. Buscábamos botes de vidrio en los basureros para vender. Vimos morir de hambre a hermanos y vecinos. Hasta que nos fuimos de sirvientas, una por una, la cosa mejoró en algo. ¿Encima quieren que seamos unas santas? ¿Que no toquemos lo ajeno? Mejor me río. Esta es una selva..., si uno no come, se lo comen a uno.

Ojo, señor, que yo no aplaudo a los malditos, pero en el fondo, los entiendo.

Un fin de semana yo misma le pedí a la Candelaria que me diera unas hierbas para curarla, a mi rubita, aunque fuera para tenerla un tiempito más pegada a mi pecho..., porque estaba tan débil la pobrecita, mi niña adorada. Su boquita morada, sus uñitas negras. Mi muñequita de sol.

Recuerdo que Candelaria acababa de curar a Virginia de una debilidad de muerte. Una infección en su tobillo. Ella arregló su salud en un abrir y cerrar de ojos..., nos quitó las lágrimas que teníamos todas creyendo que no pasaba la noche. Lo que sí me dijo ese día mientras me preparaba botecitos con tintura, fue que a doña Teresa ella a veces la tumbaba de sueño para evitarle más dolor. Porque últimamente andaba deprimida y con insomnio. Además quería celebrar con el patrón... ¿Y qué? Esas vainas religiosas y de moral no van conmigo. A mí mejor me da risa tanta chingadera.

Ahora le cuento...

Pues la peste de sarampión negro llegó un domingo de marzo. Así le pusimos nosotros. En una noche sin luna y sin estrellas. Negra la ingrata. Vacía como el silencio que está vacío de palabras. La enfermedad entró por las ventanas de las casas pobres, se metió entre el agua, se filtró entre los abrazos para hacer de las suyas. Flotó en nuestra pila quieta para presentarnos cara a cara a la muerte invisible. Nadó por el río que antes era transparente..., yo tenía a mi niño, a mi bebé hermoso. Era solo mío y yo era solo de él. Entonces estaba feliz. Los dos éramos nuestros dueños.

Tenía los ojos rasgados de las Aguablanca y unos camanances que le partían en dos sus cachetes. Esos eran de su papá. Un casado que me dio la espalda. Pero desde que lo vi, nada me importó más. Tenía once meses de edad entonces. Yo lo paseaba con orgullo por El Caimán y, aunque el cura no me daba la comunión por mi dizque pecado, paraba el tráfico porque todo mundo quería ver su mirada de ángel. ¿Cómo puede llamarle a este angelito, pecado, padre?, le pregunté una vez que entré en la iglesia a suplicar bautizo. Con las reglas del Papa yo no me meto, me respondió confuso. Si usted supiera cuántas veces me lo pidieron de lo bello que era. Hasta una nieta de don Marcial, el dueño de La Milagrosa, que no podía tener hijos, me envió un mensaje diciendo que si se lo daba nada le iba a faltar y que yo no iba a pasar miseria nunca más. ¡A la mierda! Se vende el alma, se vende el culo, pero no un hijo. Mis hermanas y primas me ayudaron a tenerlo. Recuerdo que era un Sábado de Gloria y en la plaza del Caimán había procesión y hasta aquí se oían las bandas y los cuetes. Y nació en la pila..., se me vino como mantequilla. Entonces me recostaron en uno de los lavaderos, con las piernas de par en par y los pies acunados en las jaboneras, para darle paso a mi niño. Para traerlo a este mundo. La placenta se fue entre el tragante y con los mismos guacales de colores con los que lavamos ropa ajena, lo bañaron entre todas. Lo sumergieron en el agua tibia y enjabonada. En este patio está enterrado su ombligo. Ahí, en la jardinera del platanar. Figúrese que hasta Lila se paró encariñando con él y lo andaba chineando por todos lados. Era su favorito. Fernando le puse. Fernando Aguablanca. Ya daba sus pasitos todo destanteado mi muchachito amado. Pero se llevó mi alma. Yo se la regalé completa. Yo trabajaba mucho para poder darle un buen atol y posible escuela cuando creciera. Lo soñaba doctor o dentista como uno que hubo en el pueblo; por cierto que ahí trabajó Socorro. Ese hombre fue un santo con ella, y eso jamás se olvida. Las Aguablanca no olvidamos lo que nos ha hecho sufrir, pero jamás olvidamos a las personas buenas que nos han ayudado en la vida. Eso nunca. Nuestro pacto es para protegernos entre todas y también para vengarnos. Pero eso es cosa nuestra. Recuerdo que iba caminando por el Callejón de las Ratas ese día. El día que el dentista se esfumó del pueblo. ¿Cómo olvidarlo? Yo venía de hacer unos asuntos y no había amanecido todavía cuando me rebasó angustiado preguntando por el camino que se pierde en las montañas. Y lo encaminé, lo ayudé como él ayudó a mi prima. Y jamás dije nada. Llevaba sangre en los pantalones y la muerte ajena plasmada en su cara. Es que esa no se va tan fácil.

Volviendo al tema... Imagínese que hasta salió una orden municipal donde prohibían los acercamientos cariñosos en El Caimán..., por aquello de evitar contagio. ¿Cómo no iba yo a besar a mi angelito adorado? ¿Me lo arrancaba la muerte y yo sin poder besarlo? Y la culpable de aquella peste fue la pobreza. [Se levanta perturbada.]

El hospital de San Vicente no queda tan lejos de aquí, a unos cuantos kilómetros nada más. Pero era oscuro como esa noche. Yo solo una vez había estado ahí antes, cuando llevamos a Candelaria y a mi prima Socorro hechas un mar de sangre..., Candelaria con la barbilla partida en dos y mi prima, ¡ay, Dios! Recuerdo que tuvimos que mendigar para comprar hilo y aguja para que el doctor las remendara. Eso fue horrible. Después de zurcirlas llamó a un juez, creo, para que pusieran una denuncia. Pero la Candelaria se levantó y solo dijo: ¿se puede denunciar a la miseria?, y salimos de ahí.

Ahora yo estaba de nuevo en ese hospital de San Vicente con el alma partida en pedacitos. Un camión con doctores y enfermeras llegó a recogerme con todo y mi bebé. Mi Fernandito. Tenían las caras cubiertas con máscaras y hablaban en señas. O en inglés. Como si fuéramos una..., los pilotos permanecían callados y todas llorábamos ahí adentro con nuestros niños. Me preguntaron mi nombre, mi número de cédula, el nombre de mi hijo, pero yo no entendía nada, se lo juro. [Se detiene. Llora.] Orden de Salud Pública, dijeron nada más. No me dieron tiempo ni de ponerme el suéter ni de agarrar mis cosas: allá le damos todo, señora. Es que esa peste se llevó a muchas almas..., desde entonces yo no creo en Dios. A mí que no me vengan con crucifijos para explicarme de qué se trata la vida. Que si Jesucristo sufrió, ¡yo también! Fue mucho peor que la plaga de roya que se llevó todo el café de don Marcial hace algunos años y dejó más pobre a la gente. El hospital no alcanzaba. Eran muchas las mujeres como yo. A todas las que llevábamos niños contagiados nos aislaron en un enorme cuarto con cunas que había que compartir. Y nosotras, en el suelo. Cuarentena, le decían. No tiene idea lo que fue ver morir a todos esos niños, uno por uno, caían como moscas. Y yo, esperando mi turno, el turno de mi Fernandito. Sabía que iba a ocurrir. ¡Estas malditas corazonadas!

Le sangraba la nariz y hasta sus oídos. [Llora.] El ingrato doctor extranjero dijo: sarampión con desnutrición, son una maldición.

Candelaria dos veces me fue a sacar del río después de eso. Yo tenía las bolsas de la gabacha repletas de piedras para hundirme para siempre. Es que no sé nadar y no he aprendido porque cuando me quiera morir, ya sé cómo. Ya conozco el camino. ¡Ay m'hijito amado! [Llora.] Yo le hubiera bajado las estrellas, yo le ofrecí mi vida. Pero no bastó. Dicen que hubo temporal, que el Ministerio no compró los sueros a tiempo. Pero lo cierto del caso es que la medicina nunca llegó. [Limpia sus lágrimas.]

Y los niños murieron uno por uno. ¡Ni al cura dejaron entrar ahí para bautizarlos o mandarlos al cielo! La carita de Fernandito quedó como otra. Sus ojos bellos estaban hundidos en dos círculos negros. ¿Sabe qué me da lástima? que entre todas las madres que quedamos ahí encerradas, como unas veinte quizá, no hablamos entre nosotras. No nos consolamos. Cuando un niño moría, nos arrinconábamos para dejarla sola, en su dolor. En su llanto recio que retumbaba los vidrios de ese lugar. ¿Raro, verdad? Ni los nombres de los niños preguntamos, no tenía caso aprendérselo por tan poco tiempo. Mi angelito murió de fiebre. [Llora.]

Imposible no llorar. Imposible no ver la carita de mi amorcito dibujada en el cielo.

He *vido*, perdón, visto muchas cosas en la vida. Y si no fuera porque mi hermana Candelaria me ha hecho ganas, yo estaría muerta hace mucho.

Cuando mi bebé hermoso murió, cuando mi cubilete dulce dejó este mundo, Lila me consiguió trabajo en aquella casa. La de los Leiva. Yo era una piltrafa consumida por el dolor. Un cuerpo sin alma. Una hilacha que no podía ni verse al espejo. Pero tenía que trabajar. Al entrar en esa inmensa casa, sentí el aviso de mi corazón de nuevo. No hice caso, creí que era solo el coletazo de Fernandito. Estaba equivocada.

El patrón, don Roberto, era un buen hombre. Recuerdo que el caserón estaba vacío, como si se fueran a ir de ahí. Había tres sirvientas y un jardinero para cuidar el enorme jardín y limpiar la piscina. Mi cuna de muerte en caso de necesidad, pensé. ¡Sí!, varias noches estuve a punto de tirarme a esa piscina para irme con Fernandito... Don Roberto me recordaba mucho a don Marcial cuando era joven. Pensaba mucho en él. En mi pueblo.

Don Roberto me dijo que su esposa estaba por regresar a la casa con una niña enferma. Había nacido muy chiquita, con el corazón chueco, que de seguro tenía el tamaño de una nuez, y que me tocaría cuidarla. Yo me negué al principio, quería salir de ahí porque tenía a Fernandito clavado en el alma. Pero la necesidad tiene cara de chucho, no se crea, una termina haciendo lo que sea con tal de comer. Encima los pechos me dolían, me reventaban de leche.

Cuando doña Esperanza entró con la niña en brazos, no lo podía creer. Era un alicrejo la pobre.

Parecía una anciana diminuta. Toda arrugada y sin fuerzas ni para llorar. Nos instalaron en un cuarto grande. De lujo. Yo tenía cama de ricos y pegada a mí, la cuna de mi rubita. Es que doña Esperanza tenía que descansar. Además estaba deprimida y eso, eso yo sí lo entendía mejor que nadie. Y esa es una de las diferencias, ¿sabe?, los ricos se deprimen, toman pastillas, van al doctor y reciben visitas..., y a nosotras, a nosotras nos lleva la chingada. Pues me explicaron cómo preparar la leche especial para alimentarla..., cada dos horas. Tenía un teléfono a mano para llamar cuando algo ocurriera. La patrona nos visitaba poco. Como si ya se hubiera despedido de su hija, como si se hubiera adelantado a los pasos de la muerte. Estaba tan triste que hasta la tuvieron que hospitalizar varias veces. Era tan buena esa patrona, tan dulce la pobre.

Fue entonces, cuando le daba su leche falsa, que se me pegó al pecho, como una ratía buscando la vida. Un poquito de esperanza. Y le di de mi pecho, le compartí la leche de Fernandito. Le di tiempo para que pudiera ver un poquito el mundo. ¡No!, no dije nada. Era nuestro secreto. Tiraba la leche esa falsa en el inodoro y prendía a mi niña a mi cuerpo. Y mi rubita se fue salvando. Y fue engordando poco a poco. Hasta que pudo reírse de ladito. Fue lo único que hizo. No aprendió a sentarse y jamás dijo los sonidos de los bebés. A duras penas la inclinaba con cojines, en el jardín, para que viera que la vida no era tan ingrata. Que existía el sol... Y fue mía. Solo mía. Sus padres se iban todo el día a sus trabajos y a sus cosas. ¿La querían? ¡Sí! Sufrían por ella, porque había nacido con los días contados.

Y mi hermana Candelaria me ayudó con agüitas para darle fuerza. Tuvo piedad de mí. Cuando volvía del Caimán pasaba por la casa a dejarme menjurjes que mantuvieron viva a mi sol, a mi niña amada. Y eso se lo voy a agradecer toda la vida. Mi niñita era Fernandito a la vez. Sus enormes ojos azules, a veces verdes, vivían solo para mí. Viera cómo lloraba con su mamá o con alguien que no fuera yo. Si supiera..., el alma me la devolvió mi hijo para dársela a mi niña hermosa.

Hasta el día en que su cuerpo no podía seguir más. La patrona me dijo que el corazón era pequeño para dejarla crecer. Que sus pulmones no aguantaban el aire que su crecimiento necesitaba. Entonces huí. Salí corriendo de ahí. Lo dejé todo. Y la abandoné, porque fue imposible verla morir.

Candelaria llamó a los pocos días a la casa de los Leiva y la patrona dijo que ese mismo día, el día que me fui, mi niña había volado. Mi pajarito. Que las puertas estaban abiertas por si quería volver. ¿Cómo volver ahí? Sería como regresar a la sala oscura del hospital San Vicente. ¡Ni loca que fuera! Dios no existe, señor. El dolor lo llena todo desde entonces. Usted está empeñado en encontrar a una mujer desaparecida. ¿Estará muerta? Y a los muertos hay que dejarlos en paz. Buscar culpables no la va a regresar. Desenterrarla de algún lado tampoco. ¿Qué ganan con eso?

Yo no soy como mi prima Rosa que vive somatándose el pecho día y noche. Que reza todo el día para buscar el bendito perdón... ¿Perdón de qué?

Somos nosotras las que deberíamos de perdonar a Dios, ¿no cree? Yo aplaudo a mi hermana Candelaria por la vida que ha llevado; no se ha dejado desplomar como nosotras. Ha aprovechado cada oportunidad para sacarle raja a la vida. ¿Qué si es capaz de cualquier cosa? ¡Claro que sí! ¿Y?

[El cielo se venía abajo y Eleuterio Amado no encontraba dónde guarecerse. Se encaminó hacia la pila en busca de la letrina. Una chiva aturdida le salió al paso. A pesar de que la humedad oxidaba todo, curtía todo, era evidente que el invierno apuntaba a su declive. El viento lo anunciaba. Un gran guacal flotante le hizo recordar los barquitos de su niñez. Sonrió. Aquí viven los estertores de la muerte, pensó. Cuatro, seis niños correteaban e invadían el patio con sus gritos para luego esfumarse entre el monte. El fiscal auxiliar pensó en Candelaria y algo destanteó su corazón.

La pila simulaba una diminuta tempestad, seguro por el viento. Se detuvo a verla y pudo imaginar el puñado de mujeres con los pechos robustos al aire, sobreviviendo a la melancolía con sus chismes. Se sintió de ahí. Atrapado. Uno más de cada historia. Imaginó a Lorena Aguablanca pariendo a su niño sobre el lavadero. Pudo figurarse los rezagos de placenta viva escurriéndose por el tragante. O a Socorro enterándose de la traición de Bernardo. Pensó en el cuerpo desnudo de Lila regando placeres, confundiendo sus gritos con el eco de los cerros, mientras remojaba sus pies pequeños en el agua tibia.

Con la palma de la mano desplayada, recorrió la piedra fría y no alcanzó a sentir más que nostalgia.

El té de hierbas que le dio Rosa Aguablanca un día atrás, luego de verlo volver desencajado de la letrina, había surtido efecto. Caridad pastoral, le dijo entonces. Retomó el asunto del retiro prematuro. Tendría tiempo para su hijo, porque las horas con su esposa ya habían caducado hacía mucho. Ella era la mejor compañera de una rutina sin inmutaciones, sin preguntas, sin besos.

Un pequeño espejo pendía de la pared: ¿quién eres?, se preguntó sin obtener respuesta.

Al salir se sentía observado. Acompañado.

Escuchó un lamento escondido, como si lo llamaran por su propio nombre. Movido por el miedo y la curiosidad alentó el paso, cuidadoso, intentando detectar los chillidos que afloraban como ráfagas. Bordeó de nuevo la pila y se dirigió hacia la puerta prohibida. Un candado a medio cerrar que fue fácil descolgar de su armella.

Empujó suave para no asustarla. El aleteo de una paloma lo embistió y se echó hacia atrás. Luego otra y cinco más que sacudió destanteado. Como espantando una pesadilla. Se detuvo en el centro de la habitación y ahí estaba ella, Virginia, iluminada por un rayo que nacía del techo ralo y terminaba en su cuerpo inmaculado. Sintió la proximidad turbadora de sus ojos dorados como dos velas encendidas y, a cambio, el silencio. Ella, arrinconada, con las piernas encogidas, se mecía levemente como un barco zarpando de la ensenada. Él se acercó para liberar su rostro de un mechón que le impedía apreciarla completa. No temía ser agredido porque, luego de tantos años de profesión, sabía leer los ojos mejor que nadie. Olfateaba el rechazo metros a la redonda y este no era el caso. Se hincó frente a ella igual que aquellos feligreses que le rezan a una santa para que se cumpla su milagro. Mientras recorría el rostro de pómulos abultados con el pulgar tembloroso, perdió el rumbo y quiso recostarse sobre sus piernas para ser consolado, para ser ungido por su mirada. Sintió alivio, como si fuera el final que le respiraba en su oído.

La mano del fiscal se dejó guiar por Virginia. Se abrió sin resguardo y recorrió sus pechos robustos y macizos. Ella no emitió sonido, solo una respiración acelerando poco a poco su ritmo. Acudiendo a una súplica velada, alcanzó el ápice de sus piernas, sus ingles dormidas, la humedad vacía y solitaria. Tuvo entre su palma aleteos intensos para luego abandonarlo a su deriva. Ella dio vuelta y clavó su mirada en la pared. El lazo gordo que la aprisionaba simuló ser serpiente retorciéndose en la tierra. Por Dios, dígame algo, suplicó él. No me deje solo.

—Lunas —dijo.

Estiró el tobillo lacerado con costras como lomo de tortuga vieja. Eleuterio, asombrado de sí mismo, no pudo hacer otra cosa que cortar el nudo con una navaja que siempre llevaba en el bolsillo de su pantalón. Jamás olvidaría la gracia de aquel rostro agradecido que, a la vez, lo miró con compasión. Reaccionó sobresaltado y culpó a su imaginación viciada.

Bordeó la pila y retornó al patíbulo con el corazón cambiado, porque se recordó que aun palpitaba.]

¡Ya me tenía preocupada!, dijo Lorena al verlo entrar, parece que viene de toparse con un fantasma...

134

Antes de que se vaya, me da mucha pena lo que tengo que decirle: usted lleva el aliento de la muerte rascándole la nuca. ¡Todo el mundo lo sabe! Lo mejor es que se vaya de este pueblo. Olvídese de la desaparecida, dedíquese a sus cosas, cuide a su familia, regrese a su casa. Todavía está a tiempo. Este corazón no falla cuando aprieta. [Se para repentinamente.] ¿Escucha algo?

¡Pare!, tengo que irme. Cuando los niños gritan así es porque Virginia se escapó de nuevo. Pero no se preocupe, porque ya le dije todo. Esta familia es para escribir un libro, ¿verdad? Y duerma tranquilo que ella no va a ir a buscarlo. Lo menos que le interesa a una loca es un corazón moribundo como el suyo. [Se retira.]

Estados Unidos

Regina Aguablanca, prima de Candelaria

La llamada

No soy la indicada para contarle cosas porque vivo lejos hace muchos años, pero guardo en mi memoria cada día de nuestras vidas, como una biblioteca grande. O una película completa. Hoy está de mala suerte, porque no pienso soltarle nada que resuelva su misterio.

En El Caimán pasan cosas..., simplemente no es un pueblo normal. Y nuestro caserío, menos. Por eso me fui lejos aunque, no le puedo mentir, esas montañas siguen metidas en mi alma. Dicen que los olores lo llevan a uno a los recuerdos, pues yo no soporto el olor a tierra mojada porque se me viene todo el pasado encima. Ahí paradas todas, sin zapatos, en ese patio que fue nuestro mundo, esperando la guacalada de agua fría de Lila. ¿Ya vio los pajaritos amarillos? Nubes de almas en pena.

¿Que si pienso en volver?

Mire, espero que esta llamada la pague usted. Yo no estoy dispuesta a invertir un centavo en su farsa. Además, en un rato tengo que ir por los niños a la escuela y no puedo llegar tarde. Aquí hay que cuidar la chamba como si fuera la última del planeta. Trabajo de sol a sol, salgo a las seis de la tarde. Siempre con el miedo a que me agarren.

¿Sabe lo que es eso? El corazón se agita cuando uno va metida entre tanta gente, chorros, viera..., y cada policía que miro en la calle es como ver a los fantasmas de Aguablanca que me asustaban tanto. Vivo con seis compañeros y un marido en un cuchitril, en las afueras de la ciudad. En la noche caemos todos apiñados sin darnos cuenta en qué colchón. La cosa no es nada fácil aquí. ¡Está de la chingada!

A unos vecinos los acaban de agarrar. ¡No se imagina lo que fue eso! Gritaban desconsolados y no les dejaron ni agarrar sus recuerdos. Ni sus trapos les dejaron llevarse. Aquí uno es nadie. No valemos nada y, a cambio, lo damos todo. Y andan con sus redes como si fuéramos animales. Un pobre muchacho que tenía quince añitos y una vida llena de sueños, murió de frío en el desierto. Era pariente de mi marido.

Tengo unas remolachas en la estufa... Detesto las remolachas pero a los patrones les encantan. Imagínese que pagaron cuatro dólares por cada una... Cuando éramos niñas el dueño de una granja cercana las sembraba. Después de la cosecha dejaba que los pobres fuéramos a recoger lo que quedaba, ya todas aplastadas y apestosas, antes de pasar sus tractores para preparar la tierra. Candelaria jugaba a la muerta, ensangrentada decía, toda untada de esa mierda. Socorro lloraba y todos se revolcaban entre los volcanes de betarragas rancias. Quedábamos embadurnadas hasta los calzones y pasaban días sin que esa tinta se nos quitara. Luego Lila nos daba remolacha por semanas. Cocidas, en jugo, picadas y hasta entre los frijoles. Las detesto.

Estoy enterada de lo que le han hecho a mi prima Candelaria y me parece una barbaridad. Si estuviera aquí, en los Estados, yo le juro que esto no hubiera ocurrido. Ya lo hubieran demandado a usted y a toda su prole por acoso. Dígame, señor, qué quiere de ella. ¿Por qué está hostigando a mi familia? Todas me lo han contado..., no se crea... hasta confianza le han cogido como para contarle sus intimidades. ¿Ve? ¡Eso no es normal! Hablan de usted como de un pariente ingrato.

Yo me mantengo comunicada todo el tiempo, ayudo a Lila cuando puedo, aunque con un marido desempleado es cada vez más difícil para mí. Una vez le mandé una caja llena de cosas que le fui comprando para ella, sí, a Lila. No me lo crea, dicen que casi ni la abrió porque prefiere las cosas usadas. Es que mi familia es bien rara. Que las cosas nuevas le dan ronchas, dijo Lila. ¿Puede creerlo? [Ríe.]

Además, dicen que ahora si uno manda el dinero por trasferencia bancaria, rastrean de dónde viene y te encuentra la migra. ¿Qué haría yo si me regresan de un plomazo al Caimán? ¿Otra vez con una mano adelante y la otra atrás? Por eso las llamadas son cortas, porque nos escuchan a todos. Eso dicen y yo les creo. No sabe a cuántos están regresando a diario. Es una tragedia esta vida. Otra vecina se suicidó, ¿sabe?, ¡se suicidó!, porque estaban a punto de regresarla hasta con las manos amarradas, como delincuente. Yo no puedo volver así al Caimán. No puedo.

Recuerdo que de chiquita Candelaria mató al gato de unos vecinos por puro accidente y todos la vieron horrible. Hasta al policía llamaron pues. Por suerte y ese policía era amigo de Lila. Nadie entendió que eran cosas de niña. Una travesura nada más. Así la han lastimado, así ha tenido que defenderse mi prima en este mundo. Solo falta que la culpen por el calentamiento global.

Yo solo le aconsejo que busque ayuda, que le busque un médico para que le explique lo que tiene Candelaria. Mal carácter. Su cabeza es un mundo... Fácil para ella cambiar de persona. Y con eso no le estoy diciendo que está deschavetada..., todos lo estamos un poco, en realidad. Recuerdo que una vez se la llevaron por muchos días de la casa, nunca supimos a dónde. Creo que fue Salvadora la que escuchó que la tenían en el hospital porque se había vuelto loca, pero ya sabe cómo son esas cosas, la pila es un nido de chismes. Lo que sí sé, es que hay un médico en San Vicente que tiene nuestros expedientes. Puede ser que únicamente hable de la viruela o las paperas, o de las golpizas..., pero no pierde nada con ir. Se llama Pascual Hernández. Ya está bien viejito.

No puedo decirle más. Si no, mire a Virginia que vive engañándonos a todos haciéndose la tonta y creo que es la única cuerda de la familia.

Me dicen que Lila está a punto de morir de tristeza. ¿Qué gana usted con eso? ¿Encontrar el cadáver de una rica? ¿El de una señora que ya está bien muerta y hasta saben que fue el marido quien la mató? ¿Con todas las mujeres que se desaparecen diariamente? ¿Cuánto le pagan por hacer mierda a mi familia? Piénselo bien, señor, medite lo que está haciendo.

Cuando Candelaria se enteró de mi plan para venirme a los Estados Unidos se mostró incrédula, porque hemos sido siempre muy cercanas y nadie me imaginaba lejos. Ella me conoce muy bien y sabe que, aunque odio estar sola, soy más terca que una mula y que no me faltaba valor para venirme de mojada. De chiquita me pasaba a su cama y me encantaba dormir con ella. Pero al verme decidida a hacer cualquier locura, me ayudó. Yo me logré venir gracias a las diligencias del Jonás y de Candelaria que tanto lo rogó y amenazó con dejarlo tirado en la loma si algo no salía bien conmigo. Si algo me pasaba. Y le cumplió. Son unos ángeles. Mis ángeles de la guarda.

Pues Jonás me consiguió un buen coyote y lo hizo por ella. Y hasta marido encontré en el camino. ¿Qué le parece? Aunque no me haya salido tan bueno que digamos, pero esos son otros cien pesos.

¡Al diablo con todo! ¡Al diablo con El Caimán!, dije un día de esos en que el hambre se hacía más insoportable cada día de sequía. Mis ojos estaban rebalsados de pobreza con una conjuntivitis que ya no me dejaba ni ver. Un muchacho, de esos de las religiones raras que van de pueblo en pueblo, me llevó medicinas, gotas, pero ni eso pudo con la infección. Así que topé fondo y, si ser sirvienta era mi única salida, pues sería la mejor pagada de todas. ¡En dólares! Si no me vengo, me muero. Y ahora..., ahora me muero todos los días de extrañamiento. Y de miedo a volver. Es contradictorio, pero ese sentimiento lo cargamos todos aquí.

Como le digo, el coyote que contrató el Jonás no me hizo daño porque sabía que con Jonás no se juega. Eso sí, solo los que hemos pasado por esto entendemos el dolor y la tragedia que marcan los pasos de quienes cruzamos la frontera. Me tocó estar encerrada con un manojo de gente en un camión por un par de días. ¿Se imagina lo que se pasa ahí adentro? Lo más impresionante de todo es que nadie se habla. Ni el puñado de niños que venían. Yo solo sentí que alguien tomó mi mano: el que hoy es mi marido. Pero uno no se involucra con el dolor ajeno porque suficiente tiene con el que se lleva en el pecho. Me tocó caminar por terrenos muertos y sin agua, con un calor de puta madre..., encima viendo las fechorías que hacían los criminales a las muchachas... En las noches oía gritos, golpes y patadas y uno sin poder hacer ni mierda, ¡nada! Los recuerdos de la travesía acompañan al migrante el resto de su vida, señor. Tengo amigos que agarraron La Bestia..., imagínese ahí prendidos del lomo de ese animal de hierro, como garrapatas, ¡ja!, viera las historias que me cuentan. Los que se caen se van quedando regados en el monte, unos hasta sin piernas... Pero bueno, también hay milagros. Esos que ayudan a tantos a cruzar el desierto, superar el río Bravo y burlar a la policía migratoria. Todas acudimos a la Virgen María o a Jesucristo mismo o a la Santa Cabora, el Niño Fidencio, Jesús Malverde y Juan Soldado. Y les sigo pidiendo para que no me regresen.

Estoy en una buena casa con unos gringos ricos que a duras penas saben mi nombre. Llevo a los niños a la escuela y hago el oficio que me alcanza. Nada del otro mundo, pero gano bien para ahorrar unos centavos para mi gente. Hay mucho miedo aquí. Lo fregado es que mi marido perdió el trabajo de albañil que tenía y no hay modo que encuentre algo nuevo. Ahí se la pasa el pobre haciendo filas en los parques para que lo contraten y pueda ganar unos centavos, pero está difícil la cosa. En la travesía nos volvimos inseparables, bastó con que me tomara la mano una vez para no soltarnos más. A partir de ese momento, todo lo hemos hecho juntos. Solo que él es hondureño... Alguien me dijo que tiene mujer y una marimba de muchachitos en su pueblo..., casi me muero, pero eso es común aquí. Así que me guardé el recado y no le he dicho nada. A veces pienso en los infelices niños, como los de Aguablanca, muriéndose de hambre...

Yo lo que dejé allá fue un catre y una pila de mujeres. [Ríe.]

Le recomiendo que busque un médico para Candelaria, ella lo necesita. Hágalo y verá muchas cosas claras. Pinches remolachas, se me están quemando. [Cuelga.]

# El Caimán

## Remedios Aguablanca, hermana de Candelaria

### *La Gata*

Cuando cierro los ojos puedo ver cada detalle de mi vida. Y mire que yo sé de picazones y comezones. Dicen cosas sobre mí, sobre mi familia, sobre Candelaria. Hasta que robó de una mujer muerta para vestirse así, tan elegante y bonita. Y me pregunto, cómo es posible que la gente pueda inventarse tanto.

Lila dice que solo porque soy necia estoy vivita y coleando. De que le juego la vuelta a la muerte y de que parezco gata porque tengo un montón de vidas.

Por esto todos me dicen *la Gata*.

He escuchado decir que cuando Virginia se escapa se convierte en otra. Pues Candelaria es algo parecida. Solo que es la persona más inteligente que conozco. Puede ser algo así como ingrata si quiere, pero también la persona más bondadosa del mundo. Como un ángel que se resbaló del cielo. [Pensativa.] En el Ramo de Uvas vimos una película... cosa seria, donde una mujer tenía a varias personas metidas adentro. ¿Usted la vio?

O quizá sea pura suerte la mía. Que así nací. Que tengo un camino trazado para mí. Aunque mastique sola mis recuerdos. Aunque todas seamos como las flores muertas en un jarrón. Aunque nos digan choleras. Aunque lavar calzones ajenos sea nuestro destino. [Se detiene.] Voy a abrir la ventana porque no quiero que usted se asfixie aquí adentro o que su alma se quede atrapada en este sitio y ya no quiera salir. Suele pasar. [Abre la ventana.

Éramos muy niñas, la verdad, y estábamos en el río que atraviesa la finca. Cómo era de transparente. Cuando nos tocaba llevar comida a los jornaleros, porque de eso vivíamos un poco, como niñas que éramos nos desviábamos del camino un rato. Había libélulas enormes y mariposas que ni se imagina, como pintadas a mano. Unas amarillas con rayitas negras que... Dejábamos los vestiditos regados en el monte, para no perder tiempo, y nos quedábamos en calzones. Tan libres e inocentes. [Ríe.] Nos encantaba coger tepocates de las pocitas de agua tibia que se hacían en la orilla para meterlos en un frasco todo empañado. No sé ni para qué, la verdad. Pero nos encantaba sentirlos resbalosos entre los deditos cortos que teníamos. Había llovido mucho y el río estaba bravo el condenado. Hasta palos venía acarreando y cosas de otro pueblo... Yo chapoteaba feliz en la orilla haciendo cortinas de agua, puras cataratas pequeñas. En estas vi un zapato rojo que venía flotando, como un barquito cruzando pueblos y lo quise agarrar. No sé por qué pero me dio ilusión tenerlo. El agua me llegaba a la cintura, me empujaba de a poquito. Fantasma que me lanzaba a la muerte. Y en un descuido, una corriente furiosa se me vino encima y arrastró mi cuerpo pequeño con todo y zapato rojo que prensé con las uñas para no soltarlo por nada de este mundo. Era mío, y si me moría pues me iba con mi zapato rojo. Me revolcaba y me llenaba de agua. Puro tambo. Lorena gritaba como loca desde el borde porque jamás aprendió a nadar, le digo, y esa vez no quería morirse todavía. Entonces Candelaria tiró el frasco con los tepocates y se lanzó al agua por mí. Desapareció porque se había hundido y nadado como las sirenas..., y me agarró de la pata. Peleó contra el río cuerpo a cuerpo, lo enfrentó con valor por mí. Cuando me sacó del agua yo estaba bien muerta. Nadie me cree, pero vi una luz y estaba a punto de tocarla cuando regresé... [Ríe.] A sopapos me trajo a la vida mi hermana. Me sacó el agua de los pulmones, que hasta por las orejas me salió, me dio de su aire en la boca. Dicen que gritaba desesperada: ¡no te puedes morir, Remedios, no te puedes morir! También dicen que cuando me trajeron acá, a esta casa, cerró todas las ventanas para que mi alma no se escapara. Y pues..., no se escapó, aquí sigue. Y como la bulla me molesta, pues me desperté. A estas alturas, ya no sé si agradecérselo o reprochárselo, aunque sé que no vale la pena morirse. Es que como me he muerto muchas veces... Así, bien muerta, le digo.

¿Cómo la ve?

Y Candelaria ha sido mi salvación. Y mi perdición también. Me ha dicho que ganaría mis buenos centavos contando la historia de mis muertes, porque además, me encanta hablar, pero lo hago solo con quien se me da la gana. Nada más. A usted le cuento porque, como quien dice nada, no tengo salida. Y si puedo ayudar a mi hermana, pues hago lo que sea.

Y no fue la única... Otra vez que andábamos en el monte con mi prima Salvadora, descalzas las dos porque hasta los doce Lila nos compraba los primeros zapatos, con un palo en la mano yo perseguía una mariposa hermosa, del color del cielo, y puyé un avispero sin querer, de los que mi papá había criado para dizque vender la miel en el pueblo. Pues las avispas eran gordas y panzonas las desgraciadas... Pero bueno..., la cosa es que se fueron todas contra mí. Una nube que me perseguía aunque yo corría y trataba de espantarlas con mis manitas picadas. No hubo caso y me dejaron como colador. Me fui hinchando como pelota a punto de reventar. Recuerdo que no podía respirar. Según me contaron, me trajeron al cuarto de Lila toda envenenada. Ya sin memoria, vi a mi mamá muerta levantando sus brazos para recibirme en el cielo. Cuentan que la vieja Lila estaba en sus días de parranda y no daba una..., no podía mover ni un dedo para curarme. Es que así se pone cuando le agarra por recordar tomando. Candelaria tenía como doce o trece porque le acababan de dar sus primeros zapatos. Por eso se lo digo. Los más lindos y bien lustraditos, con una moña de charol. Don Cornelio se los había traído de la capital. Entonces, sin decir mucho, rápido se metió con las plantas que Lila ponía a secar colgadas en la pared y me hizo tragar unas cosas amargas que ni idea tengo de qué eran. Le digo amargas, porque me quedó pegado ese sabor en la boca durante meses. Y hasta ahora..., a veces me vuelve y se me viene todo el pasado encima. Candelaria gritó que me llevaran a la pila y que orinaran todas en una palangana..., y me llenó de miados. [Ríe.] Entre todas me fueron sacando uno por uno los aguijones. Estaba muerta otra vez. Entonces vi la luz. Y a punto de agarrarla de nuevo, pude respirar. Es que la Candelaria no se rinde. Dicen que lloraba por mí, que masticaba sus hierbas y me las iba pegando en el cuerpo haciendo islitas pequeñas. Que deshizo los cigarros de Lila y los mezcló con su saliva para untarme toda. Cuentan mis primas que me veló como se vela a un difunto querido. Así que a la fuerza, pero volví a este mundo. Y aquí me tiene, a sus órdenes.

Solo el que lleva piedras en el lomo sabe lo que pesan. Y yo cargo con mis cositas y Candelaria también. Cuando odiaba a mi prima Rosa, por ejemplo, le cambiaba hasta la mirada y, aunque no me lo crea, le cambiaba hasta la voz. Le hizo cosas malas solo por fastidiar, como que se le metía otra persona en el alma…, pero bueno, éramos niñas nada más. Seguro porque somos sonámbulas hasta los trece y hacemos cosas sin darnos cuenta. Sobre todo si hay luna nueva. Me río, mejor me río de esta vida.

¿Sabe que me atropelló una moto?

Es para reírse, ¿verdad? Pues yo iba bajando al Caimán para hacer unos recados de Lila. Ya tenía doce entonces. Iba repitiendo como tarabilla lo que tenía que comprar y cómo pedirle fiado a don Cornelio, porque no me alcanzaban los pesos. De repente la moto endiablada se desvió contra mi pobre cuerpo y se ensartó en mi estómago como si yo fuera un poste a la mitad de su camino. Me quebró las costillas y me reventó los órganos. Ahí sí me llevaron al hospital de San Vicente y me tuvieron por semanas medio dormida. Si no es por el doctor Hernández estaría muerta otra vez en una cama, tiesa, sintiendo el alma de Fernandito. Sí, el hijo de mi hermana Lorena que murió ahí. Cómo lo queríamos todas. Tenía cara de ángel y una risa que se quedó en mi corazón para siempre... Créame que en ese hospital se pasean los fantasmas como Pedro por su casa. Yo no sabía quién estaba muerto y quién estaba vivo... Cuando regresé estuve peor que Virginia, olvidada en su cuchitril detrás de la pila... Por cierto, ¿sabe que se escapó de nuevo? Ya se parece a esa leyenda de la Tatuana que cuentan por ahí, de una bruja que tenían encerrada y dibujó un barquito en la pared para escaparse. [Ríe.]

Pues con el asunto de la moto, no podía moverme ni para ir a la letrina y la única que me hizo ganas fue Candelaria. Sin una hermana como ella, no estaría aquí sentada frente a usted. Fue salvando mi cuerpo poco a poco. Parte por parte. Hueso por hueso... hasta que me dejó completa de nuevo. Estaba poseída por la bondad. Imagino que no es nada fácil para usted comprender la magia de ciertas cosas, pero sería bueno que haga el esfuerzo porque la vida no es tan clara como se cree. Pasan cosas, señor, pasan cosas... Si no, mire a Virginia, que hay quienes dicen que hasta vuela... [Ríe recio.]

Es que cuando nos juntamos, nos encueramos todas y parecemos las diosas de las historias que me cuenta mi viejita. Nos guacaleamos con agua fría como cuando éramos niñas. [Ríe.] Entonces comparamos tetas: todo menos una teta caída, dice siempre Lila, y nos da una pomada para untarnos. Presumimos cicatrices con sus historias, aunque Socorro y Candelaria siempre nos ganan. Cómo olvidar las golpizas que les han caído en la vida. También lucimos los moretones que quedan después de..., ya sabe..., del amor: una buena revolcada siempre deja marca, dice muy orgullosa Lila. Unas se ven a simple vista, otras son invisibles. Bueno, y de Salvadora, ni qué decir. Después del guaro de Lila, paramos chapoteando en la pila, menos Lorena, que no sabe nadar.

Sí, mi viejita es la señora que cuido con toda el alma...

Desde siempre fui una muchacha alegre. ¿Sabe? Tal vez por mi carácter de gata. O la suerte con la que nací. Me daba pena de que todas se quejaban de sus patronas, menos yo. Que fuera yo la única feliz. La cuidé con paciencia a mi viejita y la quiero inmensamente. Es que ella me enseña las cosas buenas de la vida. Es mi alma y ahora soy fuerte gracias a ella. Y sé muchas cosas también. Le pongo su peluca destartalada y la saco al sol fresco de la mañana, como a las once. Me volví especialista en poner vacunas y en limpiarle las placas que deja nadando en un vaso de agua. Pareces enfermera, me dicen sus hijos. Deberías de estudiar enfermería. Sé hacer sopas vitaminadas y jugos de fruta que quitan el hipo. Todo lo aprendí gracias a ella. Y a mí no me da vergüenza ser su muchacha. ¡Para nada! Tenemos nuestros secretos y solo yo sé lo que quiere. Por ejemplo, cuando vamos a visitar a su hermana Aminta, solo espero que apache un ojo para inventar pretexto y salir muertas de la risa huyendo de ahí. Porque se aburre. También cuando llegan visitas que se instalan en la casa, ella tose fuerte, de una manera que acordamos, para que llegue con la silla de ruedas a interrumpir con alguna invención..., somos cómplices, inseparables mi viejita y yo. Además, nunca se me ocurrió tocar nada de sus cosas, aunque la demanda de Lila a veces es fregada. Es que le fascinan las cucharas, por ejemplo..., o las sábanas. Es que cuando llegué a esa casa, un domingo en la noche, ella me abrió sus brazos. Entonces yo era una nada. Necesitaban una dama de compañía y esa fui yo. Suena elegante, ¿verdad? Yo era muy jovencita, pero hicimos migas desde el principio. Es como una abuela bondadosa. Los hijos me la entregaron como un regalo envuelto que vas descubriendo mientras le vas quitando el papel. Poco a poco. Igual que el que me tocaba para la fiesta de Navidad de don Marcial. Pues como yo no sabía la fecha de mi nacimiento, mi viejita se inventó que era el día de la Virgen de Guadalupe, el doce de diciembre, y me regaló unos pañuelitos de colores y unas calcetas altas que iban con mi uniforme. También me obligó a estudiar los miércoles en una escuela nocturna que queda muy cerca de la casa y me hace leer mientras ella goza su siesta. Siempre me dice que soy muy lista. Si la vida te hubiera dado dinero, serías presidenta, me dice. Sí, somos las dos solitas en aquel caserón, sin que nada nos haga falta. Una belleza la cosa. Comemos juntas y miramos sus telenovelas. Ella dice que yo soy más bonita que la actriz principal. Que con buena ropa y un buen peluquero, yo la haría. Los hijos la visitan poco pero la quieren mucho. Conmigo están muy agradecidos por el trato que le doy a su mamá, porque aprendí rápido a cuidarla. Yo la tengo bien chula a mi viejita. Le empolvo su carita y le dibujo sus cejas picudas. Así le gustan. [Ríe.] Le corto y le pinto sus uñitas. Cuando llega la noche, yo me siento a la orilla de su cama hasta que se queda dormida viendo las noticias. Pues sí. Eso me hace muy feliz. Es bien divertida pero no se puede reír mucho porque se orina toda. [Ríe fuerte.] Una vez tuvimos que dar la vuelta y regresar a la casa porque nos agarró un ataque de risa y charcos dejó en el asiento...

Pero el asunto que a usted le importa, supongo, no es mi amor por la patrona... Pero póngame atención, porque resulta que mi viejita es amiga de la mamá de doña Teresa. Creo que son parientes o algo así. Como una tía lejana. De doña Carmen, le hablo. Una buena persona esa señora. La visitaba seguido a mi viejita y escuché cosas que no tenía por qué escuchar. La vida es un pañuelo, dicen.

Pues la mamá de doña Teresa se quejaba siempre de ese gigante. De don Lars. Siempre venía muy nerviosa, como si presintiera lo que le iba a pasar a su hija. O quizá ya lo sabía. Qué pena. Le decía a mi viejita que nunca dijera nada de lo que le contaba porque, aunque la pusieran contra la pared, ella jamás hablaría de su hija con extraños. Que por eso no podía denunciarlo a la policía, porque le había jurado por la Virgen, a doña Teresa, de que no lo haría.

Comentaba llorando que don Lars no dejaba que su hija saliera a la calle. Que le daba un gasto miserable, mientras él hacía de las suyas en la calle.

Que ella sospechaba que le ponía la mano encima a su hija, pero no sabía qué hacer. Tienes que denunciarlo, querida, que si no lo haces serás víctima del silencio, le dijo varias veces mi viejita. Comentaba que ella misma le tenía miedo. Que ese hombre era capaz de todo. Que la sirvienta vivía mejor que su hija. Y a mí me daba mucha pena porque hablaban de mi propia hermana en la sala de mi viejita. Entonces me mandaba a la cocina..., pero todo se escuchaba. Es que en ese caserón hay como el eco de las montañas. La señora Carmen lloraba desconsolada porque no sabía qué hacer con el infeliz yerno; recuerdo que comentó que tenía una deuda de no sé cuántos miles, y que por eso quería vender la casa a espaldas de su propia hija. Además se quejaba de que ese señor estaba loco desde que se murió su mamá. Que hablaba solo con ella, sí, con la muerta, y que..., el día que quedó huérfano el llorón, lo destruyó todo. Que buscaba la manera de revivirla recurriendo a espiritistas. Había llenado su casa con fotografías de la señora muerta... ¡Qué locura! Hasta escuché decir que iba al pueblo de la sirvienta a buscar a una bruja que, supongo, era mi abuela Lila. Es que ella ve la suerte de las personas en las ondas del agua, en un cigarrillo y hasta en el chingaste del café..., y habla con los muertos. Puro don, dice. Y es cierto, porque varias veces el señorón vino al Caimán a tomar con el Jonás. Y todos lo vieron. Doña Carmen dijo que ese señor Lars le tenía celos al pobre cura porque el único consuelo que tenía la difunta era ir a la iglesia. Que ahí se la pasaba la pobre mientras el marido se daba su gusto con la sirvienta. O sea, con mi propia hermana, ¿se da cuenta? Que los pleitos eran terribles y que él cada vez era más violento con su hija. A mí, la verdad, me daba mucha pena por mi hermana, porque me daba miedo de que algo le pasara. Hasta vi la gran mariposa negra en mi cuarto, de esas que avisan la muerte. [Frota sus brazos.] Aunque ya sabía que el patrón la quería mucho a mi hermana... y ella también a él. Para qué le voy a mentir... ¡Eso lo sabe todo mundo! Pero Candelaria no hubiera lastimado a su patrona por eso. Es que nosotras sabemos muy bien cuál es nuestro lugar en esta vida. Conocemos de memoria nuestros muros. Una criada puede arriesgarse a querer, pero no a confundirse de sitio. Eso jamás. Si no mire a Rosa, bien fregada con su hijo Julián porque el patrón la dejó plantada. ¡Infeliz desdichado! Y así hay muchas historias parecidas. Candelaria nunca hubiera pretendido quedarse con él, por el simple hecho de que él jamás se hubiera quedado con ella, ¿me entiende? Y nosotras no hacemos cosas por gusto. Para colmo, en varias oportunidades yo le advertí lo malo que era ese hombre. Las cosas que yo escuchaba de doña Carmen. Y es que esa señora habla con el corazón en la mano. Hasta dijo que por culpa de la sirvienta el señor Lars andaba con unos choleros de su pueblo. Que eso se lo había contado su hija..., y que le daban mucho miedo. Viera cómo lloraba la pobre. Pero Candelaria me contestaba: tu sabés que soy domadora de leones, hermanita, lo tengo comiendo de mi mano.

Creo que mi hermana siempre se ha creído más fuerte de lo que es, cuando en realidad lo que quiere es que la quieran. Yo solo quiero que me quieras Remeditos, me decía como cantando. Y todas tenemos un poco de eso, no se crea. Y usted también carga con esa cruz. Se le nota. Ese tic que tiene de sacar el pañuelo a cada rato para secarse la frente; esa maña de cruzar y descruzar la pierna lo delatan. Además la desconfianza es puro asunto de falta de amor.

Y reconozco que mi hermana cada vez se parecía más a su patrona. Con esa habilidad de cambiar que tiene. Quería ser una señora de esas adornadas para sacarnos a todas de la miseria en la que vivimos. Aunque de noche, el gato donde quiera es pardo, dicen por ahí. Cada quince llegaba al pueblo con zapatos de tacón, vestidos elegantes, se pintaba los labios como dama de restaurante fino y sus modales eran cada vez más jalados. Pura actriz mi hermana... ¿Tiene eso algo de malo? Y no se crea usted, que yo también he ido a los lugares más lindos de la ciudad y he comido en los restaurantes más caros, porque cuando los hijos invitan a salir a mi viejita, ella no va a ningún sitio sin mí. Es que solo yo le sé sus mañas.

Una vez doña Carmen le contó a mi viejita que había hablado con Candelaria, la sirvienta de su hija, o sea con mi hermana, para pedirle ayuda..., pero que ella estaba del lado de él. Que se hacía la muda con todo. Que ella le había dicho con mucha frialdad que no sabía nada de lo que pasaba en la casa, que lo único que le importaba era hacer bien su oficio y cuidar a la nena. Pues doña Carmen dijo llorando que esa muchacha no le daba buena espina, que de seguro tenían algo a las espaldas de Teresa. O sea, todos sabían que el patrón don

Lars le llevaba ganas a mi hermana. Yo la llamé de nuevo para advertirle, pero la Candelaria me ignoró con palabras dormidas. Estoy segura de que ese gigante la utilizó. La engatusó para conseguir su ayuda sin que ella se diera cuenta. Porque servir, sí sabe... Hasta amigo del Jonás se hizo. ¿Sabe quién es Jonás? Y yo le juro que nadie se hace amigo del Jonás si no tiene algo entre manos. Aunque no hay maldad completa, porque el Jonás ayuda a los enfermos del pueblo y siempre manda dinero cuando hay muerto, compra medicinas y lotes de cuadernos para los niños. Había una niña de por aquí que se estaba muriendo del dolor de estómago y él pagó un helicóptero para que la llevaran a la capital. A los pocos días la niña regresó más sana que antes, operada y todo. Por eso la gente lo cuida. Y lo adoran. Y por eso le aviso que tenga cuidado. La otra vez, fue él el que le compró el uniforme de futbol a los muchachos del Caimán, que no juegan tan mal porque ganaron, la verdad. Y no sabe..., casi lo llevan en anda por todo el pueblo. Es como el santo patrón. Ahora prometió un entrenador pagado para que los muchachos sean campeones nacionales. Yo, personalmente, no tengo nada contra él. A nosotras nos trata bien, nos ayuda y no deja que ninguno de sus matones nos dirijan ni una mirada. Pero jamás confié en él. Es que es imposible hacerlo. Figúrese a un señorón como don Lars tomando cerveza con ese matón. ¿Por qué? ¿Con qué razón? Por algo habrá sido y ahí..., pues Candelaria no tiene la culpa. ¿O sí? Ella solo los presentó y bueno..., gozó de los dos a su antojo. Y no seamos ingenuos... ¿Se paga cárcel por eso?

Candelaria ayudó a criarme porque como soy la más pequeña ya agarré a Lila cansada. Me enseñó a peinarme las trenzas, fregar mis calzones, despiojarme yo solita y a lavarme las manos aunque fuera de vez en cuando. Ella me habló de los hombres. Me explicó cosas que me sirvieron para sobrevivir en este mundo tan ingrato. Encima mi viejita remató contándome todo sobre los infelices. Y no voy a casarme. ¿Sabe? jamás he querido a un hombre, ni pienso hacerlo. A mi papá lo odio. Sé que suena espantoso decir eso, pero lo odio y con razón. Él nos ha torturado toda la vida. Nos ha tratado como animales... Es un borracho bueno para nada. Y no se lo perdono. Hay cosas mucho más importantes que eso, como mi viejita, por ejemplo. Una tía murió en el parto. Pobrecita mi tía. Por eso ni pienso tener hijos, porque la escuché gritar, porque la oí maldecir... Ni loca que yo fuera. Siempre llevo como un nudo en la garganta, como si algo me dijera que soy mala por no querer hijos y no querer a mi papá.

Pero mi viejita me lleva a misa todos los domingos. La iglesia de San Judas Tadeo queda cerca de la casa, entonces nos vamos caminando despacito, o en su silla de ruedas, porque eso le cae bien; me hace confesar y el cura me deja tranquila por unos días. Aunque miento.

Candelaria me salvó de agarrar malos caminos y mi viejita también tuvo mucho que ver con esto. Ella ha mandado en mi vida. Ya le dije. Por eso no entiendo por qué todos me engañan y me dicen que está muerta. Que mi viejita ya no está. Cuentan que grité como loca cuando ella estaba dormida y no se despertaba. Pero como me dan unos desmayos horribles... Es que mi viejita tiene un sueño muy profundo y a veces parece muerta. Cuentan que me morí de nuevo y que me trajeron en ambulancia hasta acá. Ahora no me dejan ir a la capital a buscarla. Seguro que me está esperando, y yo no pienso dejarla abandonada. ¿Por qué me mienten? ¡No me explico!, si mi viejita solo estaba dormida. Y eso no lo entienden sus hijos. Yo le llevé su leche tibia con una cucharadita de café, como le gusta. Puse la telenovela con el volumen recio porque ya no oye muy bien. Habíamos ido al jardín en la mañana. Hizo su siesta. Le limé sus uñitas mientras me contaba cosas. Eres una buena mujer, Remedios, que nadie nunca te haga creer lo contrario, recuerdo que me dijo. Además hicimos bromas, como siempre. Yo empolvé su carita de párpados caídos, limpié sus lentes con mi vaho. Dibujé sus cejas como en un cuaderno de hojas blancas. Ella tomó mi mano, siempre lo hacía, como para no caerse de la cama, como para no irse antes de tiempo. Le encantaba que le hablara de mi pueblo, de mis primas y de mis hermanas. Siempre le prometía que la iba a traer al Caimán. Le encanta la historia del caimán atrapado en un pozo... Se reía mucho conmigo. Y es que uno no se muere así como así, ¿verdad? De la noche a la mañana, ¿verdad? Por eso no les creo... Y ya no me dejaron verla. [Llora.] Y me mandaron de regreso para acá. Yo solo quiero ir de vuelta. Nada más. Me sé el camino de memoria. Voy a escaparme. Quiero recostarme en su pecho. ¡Sí!, mañana me escapo y agarro camino para la casa. Me está esperando...

Cuando cierro los ojos puedo ver cada rincón de aquella casa. Puedo ver cada adorno, cada color, como en una fotografía. Las verduras en canastos de la cocina. Los bananos formados en diferentes estaturas, como soldados. Los cuadros extraños, con figuras que nunca entendí. Puedo sentir los olores de sus perfumes, cada rosa del jardín que cortamos juntas. Cada mordida de durazno dulce que a ella le encanta. El olor de su té de pericón con el desayuno. Cada ruido de la televisión. Y sus carcajadas.

Imagínese que por primera vez Lila llama a un médico para que me examine. Que solo querían comprobar que no perdí la chaveta... Con Candelaria lo hicieron varias veces, o sea, varias veces la llevaron al doctor...

Cómo quisiera tener dos alitas para volar a su lado.

Aunque yo no sea tan cachureca como mi prima Rosa, que se somata el pecho todo el tiempo y le hace de gratis el trabajo al cura, sé que Dios me va a ayudar a encontrarla. Me río porque dice el dueño de La Evangélica Cristo Rey que todas las Aguablanca somos como sentimentales, y eso quiere decir que decimos poesía y que lloramos un montón. [Ríe.] Por ejemplo comparar las cosas con flores o animales. Pero así nos enseñó Lila. Me recuerdo cómo desde muy chiquitas nos decía: si dan un paso, desgraciadas, la tierra se las va a tragar. A mí me costaba entender eso, porque la tierra no tiene dientes ni lengua. Ya ve. ¡Ni garganta! Es como compararlo a usted con un quiebrapalitos. Me muero de risa.

La luna es sumamente importante. Dice Lila que sin la luna, las plantas no harían remedios. Allá en la casa, nos encanta ver la luna con mi viejita. Cuando está llena, ella no duerme bien y le da más miedo de lo acostumbrado. Por eso debo correr, porque mañana hay luna llena y no quiero que la pase solita.

¿No es perdonar un mandamiento de la Biblia? El cura de San Judas Tadeo habla de esas cosas. Y yo paro las orejas porque mi viejita dice que siempre se aprende algo. Que los mejores libros tienen dos pies y andan por todos lados. Que por muy tonto o ignorante que sea alguien, siempre tiene algo que enseñar. Pues el cura dice que hay que perdonar. ¿No hay que perdonar entonces a Candelaria? ¿No es una gracia humana? Ella no ha hecho más que querer. [Se pone de pie, distraída.]

Anoche se cayó el cielo y tuve un extraño sueño. Caminaba por el camino de polvo que va para el cementerio y mi viejita me estaba esperando en el cruce. Quise alcanzarla pero no pude. Caminaba muy bien y levantaba sus brazos, como si fuera joven. Me desperté llorando. Es que eso de morir tantas veces me ha vuelto muy sentimental. Y paré sufriendo por Candelaria. Lloré toda la noche por ella. ¿Cómo no hacerlo? De seguro que mi viejita me va a ayudar con este asunto de mi hermana. Ella conoce a muchas personas importantes. Es que todo el mundo la quiere. [Se detiene.]

¿Le conté que una vez me cayó un rayo? [Ríe y se retira.]

# El Caimán

## Salvadora Aguablanca, prima de Candelaria

## El funeral

Soy Salvadora. La oveja negra. La puta. La más libre de todas. La más lista de todas. La más feliz. Y no me siento mal por eso, porque yo no tuve la culpa...

Me gusta cuando dicen de la vida alegre, por ejemplo. Pero las cosas por su nombre. Soy puta a toda honra. Y yo amparo ese oficio sin ninguna vergüenza.

Le cuento mi historia, que es de otros en realidad, porque yo misma no he tenido mucho que ver en ella. Lástima que me retiré hace poco porque se la hubiera contado en la cama. [Ríe.]

A mí vienen todos. Soy como el centro de este pueblo. De la región completa, mejor dicho. Bueno, el peluquero, don Justo, me hace la competencia. Y yo le bromeo con eso. [Ríe.] Sobre todo cuando se acercan los azacuanes y todos quieren estar bien rapaditos para las fiestas. Todas las cabezas del Caimán han pasado por sus tijeras, igual que conmigo..., todos han pasado por mis manos, pero de otra forma. [Ríe fuerte.] Y como lo dice su nombre, ese peluquero es bien justo. Ejemplo de hombre. [Aplaude.] Cuando éramos chiquitas, don Cornelio nos llevaba dos veces al año con él para

160

que nos rapara por completo. Quedábamos todas pelonas, como los focos de las lámparas. Su obra de caridad, decía. No sabe las burlas del pueblo. Sobre todo de una tal Prudencia, bien ingrata la infeliz. Esa mujer es una basura. Anda por las calles del pueblo, desocupada la desgraciada, diciendo cosas de Candelaria. Envidia le debe de tener, porque ella es la esposa del alcalde Benítez, el más cruel de los hombres. Y se lo digo yo, que lo he tenido encima. Pues luego el peluquero, don Justo, tuvo que ver en mi camino. Cuando enviudó fue a buscar consuelo en mis brazos. Después de consolarlo, de convencerlo de que estar solo no era tan malo, se me hincaba a la orilla de la cama para pedirme perdón en nombre de su negocio, por habernos dejado sin trenzas. Además, fue el único cliente que me llevaba flores, ¿sabe? Imposible olvidar eso. Yo se lo recomiendo porque es muy buen peluquero y le sabe el modo a todos los hombres. ¿Ve? igual que yo. [Ríe.] Si usted entra a esa peluquería, queda cerca del Callejón de las Ratas, va a ver allí un platito con un huevo que es de mentiras... De madera, creo. ¿Sabe para qué es? Para que sus clientes, que ya están bien viejitos como él, se lo metan a la boca y los pueda rasurar sin cortarles los cachetes. [Ríe.] Pues don Justo hasta me enseñó a ahorrar y, gracias a eso, ahora tenemos algo con qué comer. Pero no sé por qué me pierdo en hablarle de don Justo. Quizá porque siempre le tuve cariño. Y no hay día en que mis recuerdos no pasen por él.

Como se podrá imaginar, me sé las historias de la mayoría de los hombres de por aquí. Me sé sus gracias y sus desgracias. Conozco sus miedos de

161

memoria. Sobre todo sus mañas... Por eso, cuando una puta se endereza, todos la llaman señora bien rapidito. Porque ya sabe..., a veces lo que buscan en una es puro consuelo. No sabe lo que critican a sus honorables esposas y hasta mal de sus hijos hablan..., y viera cómo sacan todo el odio que llevan dentro contra sus jefes. [Ríe.] Luego, quién los viera hincaditos en la misa del domingo, haciendo penitencia, dando limosna y somatándose el pecho.

Pero una puta es como un cura, guarda los secretos. Ah señor fiscal... Yo me sé los caminos con todo y sus extravíos. Figúrese que hasta madres llegaron a poner a sus hijos en mis brazos, para dizque enderezarlos. Hasta una esposa llegó alguna vez para que le devolviera las ganas a su marido. No señor, si en este mundo uno no se aburre. Que me digan lo que me digan, pero todo pasa por ahí abajo..., ya sabe...

¿Sabe que no puedo ir a misa por pecadora? Para mí, el único pecado que existe es tener corrompido el corazón. Eso sí es pecar. Pero el cura me ha recibido en secreto para ¿perdonarme? Como si Dios no se fijara... Me cuelo entre las bancas, como culebrita, antes de que cierre la iglesia, como si fuera un negocio y Dios trabajara hasta las seis..., y no me puede negar confesión. Seguro que ese padrecito se siente culpable conmigo porque yo, la verdad, soy la más inocente de las mujeres. Ya le explico... Solo le anticipo que cuando uno no tuvo la culpa, pues no es culpable, ¿o sí? Usted que es detective, dígame... ¿O sí?

Y de Candelaria, ¡ay, señor!, de Candelaria me las sé todas. Es mi prima, mi cómplice, la única que no me sepultó en vida por el camino que tuve que tomar. La única que no se espantó cuando me vio en una esquina recibiendo lluvia con el culo al aire. Ella es de mente grande y no juzga porque sus pecados tendrá, como todos. Y yo le sé varios. [Pensativa.] Le aclaro que en esta familia no hay santas. Tampoco traidoras.

La cosa es que yo acababa de cumplir los trece. [Pensativa.] Si intento recordar cómo era yo, solo veo una especie de fantasma caminando por el mundo. Una flor de campo que nace solo para estorbar al monte. Hasta que un matón del Jonás me empezó a perseguir a escondidas. Román, se llama. Estaba loco por mí y yo, la verdad, no me negaba a encontrarlo camino al río. Ese que cruza la finca La Milagrosa. En unos recovecos que hacen los juncos nos mirábamos. Yo sabía mis cosas porque Lila nos llevaba a la tienda de don Cornelio. Recuerdo que nos dejaba ahí sentaditas viendo Tarzán, pero yo prestaba mucha atención a lo que pasaba detrás de la cortina que dividía la tienda de su bodega. Tal vez desde siempre tuve inclinaciones y no lo sabía. Las putas nacen, no se hacen, decía una compañera de oficio que era un amor. [Ríe recio.] Y yo le contestaba: las putas no nacen, se hacen por necesidad..., o por maña. ¿Qué piensa usted? Pues Román era grandote y tenía sus bondades. Así le decimos cuando un hombre..., pues es bien dotado. O sea, sus cosas bien puestas. Me cargaba con una sola mano y me sentaba en su barriga para lamerme toda. [Frota sus brazos.] Pero Candelaria se enteró de mis andanzas y habló con Lila para que me sacaran del Caimán lo más pronto posible. Es que Candelaria parece bruja, porque se entera de todo antes de que pase. Según ella, yo corría peligro. Y me cayó muy mal que fuera con el chisme..., me sentí traicionada y me costó mucho perdonarla. Ahora pienso que me hubiera ido mejor con él, que por culpa de ella paré en lo que paré. Bueno, y del cura que me recomendó en aquella casa. Lo mejor de esta historia es que no logró separarnos, porque con los años, Román se volvió mi mejor cliente. Dios nos cría y el diablo nos junta, dice el dicho. Solo que con él yo no hacía todo lo que sabía hacer. ¿Me entiende? Simplemente le dejaba a él las ideas para que se sintiera el más macho de los hombres a la hora de cargarme con su brazo. Por pura lástima lo hacía yo, por respeto a los recuerdos y porque el pobre siempre me quiso.

Pues el caso es que, en el fondo, él detestaba seguir las órdenes del Jonás..., sí, de Román le hablo, yo sentía su odio. Y ya en la intimidad del asunto, pues hablaba de más. Por eso le voy a contar cosas de las que me enteré mientras se quitaba las ganas... Pero antes le cuento por qué paré en esas. [Pensativa.]

Voy al grano. A ver cómo se lo explico. Entonces Lila, toda asustada, me ubicó en la mejor casa de la región. En una finca de cardamomo de San Bartolo, un pueblo vecino. El Paraíso, se llamaba la finca. Era bello ese lugar. La muchacha de antes se había muerto de una infección de no sé qué, y a mí me daba un poco de miedo de que el espanto se me apareciera por los corredores, pero se me pasó pronto. Cuando llegué, me sentí como mi prima

Remedios en una de sus muertes: cruzando en serio el paraíso. Es que ella se muere a cada rato. Si no me cree, pregúntele a cualquiera.

El patrón, don Alberto González, tenía unos caballos que a mí, desde el principio, me dejaron maravillada. Bien peinaditos brillaban con la luz del día. Y corrían tan cuidadosos sin aventar a nadie. Hasta mi cabeza podía ver reflejada en su lomo. Ella, su esposa, mi patrona, era una dama la señora. Bien bella y elegante me salió a recibir con un abrazo cariñoso. Y eso que yo siempre he sido una salvaje para eso del cariño. Otro detalle natural que tenía para mi futuro oficio. [Ríe.] Pues la señora era igualita a las de las revistas de moda que había en una mesita de la sala. De esas que, aunque quisieran ser putas, se hubieran muerto de hambre. Era bien rubia y delgadita. Sus ojos verdes y su piel... Pues era más buena que el pan. Desde el inicio fue atenta conmigo, calladita y recatada. Tenía las rutinas muy estrictas y no necesitaba gritar para ordenarme, lo que me sirvió para acostumbrarme pronto y hacer bien mi trabajo. Y así fue. Yo era muy jovencita, con un matón atravesado en el alma y con nada, absolutamente nada que perder más que el vestido que llevaba puesto. Y eso fue por labor del cura también, le digo. Al César lo que es del César, dicen por ahí. Ese cura que siempre andaba viendo cómo ayudar a los pobres. Yo no sé qué culpa estaba pagando el pobre, qué pecados llevaba cargando en su espalda, pero se dedicaba todo el tiempo a ayudar a la gente. Y luego lo volví a encontrar y, como ya le dije, no me pudo negar la confesión.

Pues yo dormía en un cuartito muy bonito y tenía para bañarme todos los días. Hasta con jabón de olor que me dejaba como un botón de flor. La señora, doña Lulu se llamaba, me compró un vestido nuevo. ¿Se imagina? ¡Un vestido nuevo de esos con sus encajes finos! Era escotado pero no mucho y tenía las mangas de campana... Pues yo me sentía feliz. Y entonces la quise, y aun la quiero... Eso es lo que recuerdo.

Las primeras noches todo fue normal. Servíamos la cena juntas y yo obedecía como esos caballos brillantes de mi patrón. Hacía todo lo que me decían; cruzaba donde me decían que cruzara. Que si servir la sopa, que si limpiar los pisos, que si pasar la sal... ¡Odio las sopas! Creo que como estaba tan flaca, no podía pensar mucho más que en obedecer. Es que estoy segura de que el cerebro flaco no piensa igual... Pero empecé a engordar un poco, porque no me negaban comida. Y me puse bien chula. Bien lista. Si algo puedo agradecerle a la vida, es esta cara que me dio, este cuerpo que se fue poniendo más duro y bueno cada día. Estás como querés, me decía el caporal cuando me lo topaba por ahí, puro el patito feo. Y yo no entendía, pero me gustaba. Mi mamá era más muda que las piedras, pero era bien chula la pobre. Tenía una carita como de canario. Nosotras también salimos a Lila, una mujer hermosa que supo sacarle jugo a lo que la vida le dio. Ahí andaba regalando el cuerpo a su antojo. ¿Lo sabía? Ella nos sacó a todas adelante. Nos dio de su leche y cargó con nuestros líos. ¡Imagínese! Siempre nos defendió, aunque hiciéramos barbaridades. Defendió a Candelaria de cada cosa... La libró hasta de estar presa y varias veces... ¿Por qué? Pues por cosas... Todo lo que hizo fue por nosotras, y no sabe usted cuánto me dolió haberla decepcionado. Cuando se enteró de que yo estaba en el putero de San Julián. Dicen que casi se muere. Y no creo que haya sido por moral, no..., ella no cree en esas cosas..., fue porque malgasté mi vida imitándola un poco a ella.

La verdad es que ya no sé si lo que le cuento son recuerdos. En todo caso la historia suena bien, ¿verdad? Lila me quitó el habla por años y fue gracias a Candelaria que nos contentamos, hace poco. Ella la convenció inventándose no sé qué cosa. Es que Lila me quería. Siempre me consoló los sustos. Trató de llevarme por buen camino, para que fuera una buena sirvienta, de esas uniformadas y obedientes, pero pues ni modo, la vida hace cosas con uno. Recuerdo que entré a su cuarto con una lámpara en la mano, porque le fascinan las lámparas, y me hinqué a sus pies, y le pedí perdón. Todavía se lo sigo pidiendo y no entiendo por qué. Tal vez es una forma de perdonarme a mí misma.

Pero eso no es lo más importante. El tema es que Román fue mi cliente. ¿Me entiende? Pero antes tengo que decirle por qué paré en esto. No fue por maña ni nacimiento, lo mío es puro asunto de destino...

Pues pasaron los días en aquella casa tan feliz. Tenía ratos libres para ir a husmear a los caballos y sobarlos un rato. El patrón me dejaba cepillarlos. Es que me encantan los caballos. Hacía el de adentro hasta cantando, y dejé de extrañar a Román. A mi primera quincena llevé hasta queso para todas y le regalé mi vestido viejo a Virginia. Cuando volví a la finca de San Bartolo, después de mi primera salida, vi cosas raras. ¿Cómo qué? Pues mi señora, mi amada doña Lulu, estaba muy cansada y habló poco. Esa vez se la pasó acostada todo el día. Y yo entré a su cuarto medio oscuro para ofrecerle algo y no tuve respuesta más que algunos llantos pausados. De esos que quieren esconderse en el alma. Pasaron dos noches para darme cuenta de que la vida no era tan bella como yo creía. Los gritos de doña Lulu me despertaron. Yo brinqué de la cama como un grillo y quedé petrificada. Y como mis hermanas y primas son sonámbulas hasta los trece y nos da por gritar en las noches, pues yo creí que era eso. Que estaba teniendo pesadillas la pobre. Recuerdo que los alaridos iban y venían igual que esas nubes pálidas del cielo. [Señala el cielo.]

Pero a la mañana siguiente doña Lulu no bajó a desayunar y don Alberto, ese pervertido de mi patrón, se tragó rápido unos huevos y salió de la casa somatándolo todo.

La puerta no estaba cerrada. La empujé despacio para no despertarla. Lanzó un rechinido de puerta vieja; y me acerqué con cuidado a su rostro para estar segura de que respiraba. Tenía los ojos medio abiertos, viendo al techo, como si ya nada le importara. Estaban abiertos, sí, pero no para ver. Recuerdo que la senté sobre mis piernas y le di de tomar unos traguitos de leche recién ordeñada que le gustaba. Esa respiración angustiada, yo la entendería muy pronto. Por desgracia. Una que lleva dolor adentro. Una que atraviesa el miedo por todos lados y lo deja como colador. Y la dejé ahí, tendida, con su camisón transparente. Todo medio rajado.

La siguiente noche ocurrió lo mismo. Sus quejidos cruzaban las paredes. ¡No sabe cuánto! Como tijeras cortaban todo y no me dejaban dormir. Y yo me puse a llorar con ella desde mi cuarto. Recuerdo que me tapaba las orejas para engañarme con que nada estaba pasando, pero no hubo modo. Esos quejidos eran capaces de atravesar montañas. Entonces tomé valor. Con las piernas temblorosas di dos pasos fuera de mi cuarto y lo escuché a él diciéndole que se callara, amenazándola con hacerlo más duro. Usted no se imagina señor fiscal lo que se siente estar frente al peligro, como un ratón a punto de ser devorado por el gato. Y no dormí, esa noche no dormí. Por mí, por ella.

Quiero que te vayas, Salvadora, antes de que te ocurra lo mismo, me dijo doña Lulu al día siguiente. Se le veía más repuesta. Yo no la voy a dejar sola con ese monstruo, doña Lulu, le dije mientras le tomaba la mano. Y es que ese hombre era un monstruo. Un dragón, como dice mi hermana Socorro. Un pervertido que disfrutaba viendo sufrir a su mujer. ¿Me entiende? De esos que mezclan el gusto con el dolor. De esos que necesitan escuchar gritos de pena para prenderse... Pues no le hice caso a mi señora y, aunque me despidió mil veces para protegerme, aunque me suplicó de todas las formas para que me fuera, yo me quedé.

Y sí, pasé por la misma suerte esa misma noche. Don Alberto se metió en mi cuarto aventando la puerta. Seguro sospechaba que yo ya lo sabía todo. Y usted no se imagina lo que me hizo. Me lastimó por dentro y por fuera, por adelante y por atrás, pero no me desmayé. Y no grité para no asustar a mi patrona y no darle su gusto al desgraciado. ¿Me entiende? Entonces ya éramos dos. Aunque en mi vida he visto de todo, usted no tiene idea la lástima que me da recordarme amarrada a aquella cama. Sin entender lo que me hacía. Viendo cómo nacía el odio en mi corazón que era noble. Me miro y me miro, como una aparecida, y me duele el alma. [Llora.]

Al día siguiente hice los más grandes esfuerzos y me levanté temprano a hacer el de adentro..., no quería asustarla a ella y, de alguna manera, quería contarme a mí misma que nada había pasado. Que todo iba a estar bien..., es que así somos las Agua-blanca, pero yo ya no era la misma, señor, había envejecido en horas, había conocido la oscuridad. Y me hice la fuerte. Me acordé de Candelaria, o de Socorro cuando les pegaban tan duro. ¿Cómo olvi-darlo? Ellas se hacían las fuertes para no asustarnos a nosotras las más pequeñas. Aunque por dentro estuvieran rotas. Así es. Y ese fue mi error. Porque él supuso de que yo había nacido para eso.

Y yo pensaba que si me lo hacía a mí, dejaría unas noches libre a mi patrona. Y así fue.

[El fiscal auxiliar, Eleuterio Amado, dio un respiro largo cuando Salvadora Aguablanca salió al patio, buscando la letrina. Se recostó sobre el umbral de la puerta para observarla desde lejos, como a una estampa. Le atrajo el caminado ele-gante y las caderas como si estuvieran bailan-do un vals. Estaba conmovido, sí, imposible no estarlo, dijo para sí. Pero entonces pensó en Jonás, en sus matones y que, mientras él seguía sumido en sus supuestos, ellos ya tenían el plan certero para matarlo. Sintió miedo.

Revisó rápidamente la habitación y le llamó la atención la sobrecama de pana roja. Seguramente traída del burdel, supuso, con más de mil amores atorados entre sus hilos. Pero Salvadora lo interrumpió severamente con un chasquido incisivo.]

Pasó el tiempo..., no sé cuánto en realidad, hasta que el día llegó. El día en que me llevó con ella. Yo estaba fregando los trastes cuando don Alberto me fue a jalar sin avisarme, a puros empujones subí las gradas y me aventó sobre su cama..., y nos dijo: ¡desvístanse! Ahí sí que me quería morir, ¿me entiende? Yo respetaba a mi señora y me parecía imposible quitarme el vestido frente a sus ojos. Ese bonito que me regaló. Pero con la gran fusta que el maldito tenía en la mano, no nos quedó de otra. Doña Lulu gateó en la cama y se acercó a mi oreja, piensa que él no está aquí, y me dio un beso de esos que jamás se olvidan. Y yo le respondí despacio..., y se me fue quitando el miedo y fuimos amándonos frente a sus ojos de fuego que no miramos. Que ignoramos. Descubrí lunares en su piel de nube. Volcancitos negros. Pienso mucho en eso, ¿sabe? En las costillas que saltaban de su tronco pálido. En cómo se puso toda excitada olvidando el dolor. Tan inmensamente bella. Y cuando le tocó a él, nosotras estábamos en otro sitio. En el cielo, para serle exacta. Ella es un cuadro que llevo colgado en el alma.

A la mañana siguiente estábamos felices las dos. No sé si de verdad, o si fingíamos para

ayudarnos a sobrevivir. Nos burlábamos de él...,
habíamos creado nuestro propio mundo. Una
propia forma de hablarnos con los ojos, con la
boca, con las señas solo nuestras. Es como si me
hubiera convertido en ella, ¿me entiende? Cortamos flores y, de vez en cuando, nos acariciábamos
hasta terminar revolcadas en nuestro paraíso. Ella
hacía cosas que me encantaban con sus manos,
con su lengua..., sabía lo suyo y muy pronto descubrí todas las esquinas de mi cuerpo gracias al
camino de sus manos. Cuando él nos torturaba,
nosotras nos consolábamos y nos curábamos a
puro beso. ¿Qué más podíamos hacer? Yo le dije
un día que podía matarlo. ¡Sí!, se lo dije y no me
arrepiento. Y se lo volvería a decir mil veces. Que
Lila o Candelaria me podían dar un veneno tan
fuerte como para matar a un tiburón, nadie iba a
darse cuenta, en serio..., pero ella era buena, incapaz de cargar con un muerto en su conciencia. Lo
tomó a broma cuando yo, en realidad, lo pensaba
todo el tiempo.

Hasta que el maldito empezó a llevar a sus
amigos a la casa para que disfrutaran conmigo. ¿Se
da cuenta? Doña Lulu hizo todo por defenderme,
pero solo se ganó un ojo morado y un par de costillas rotas. Y muy pronto fui más famosa que el azúcar. Yo lo hacía bien para no enojarlo a él, por puro
miedo pues, y que no rematara con doña Lulu. Los
desgraciados se peleaban por mí. Las fiestas se volvían eternas y a mí ya no me quedaban fuerzas
para hacer el oficio. Pues un día, por consejo de
doña Lulu, yo agarré valor y le dije al desdichado
que me tenían que pagar..., y entonces empecé a

cobrarles. Merezco que me paguen, patrón, este es un trabajo extra, le dije bien plantada.

Y así me hice puta. Muy simple, ¿verdad? Entonces ni les alcanzaba para pagarme de lo felices que los hacía. No sé..., arte natural, le dicen. [Ríe.] Soy experta en contorsiones, en amarres y en tríos. Y sobre todo, soy la mejor escuchando. Es que hay cada gusto que usted ni se imagina. Si yo le contara lo que necesitan algunos hombres para acabar..., me topé con cada cerdo...

Pues no me quedó más salida que huir, porque doña Lulu me lo suplicaba llorando todos los días, y entonces me uní al prostíbulo de un pueblo, San Julián, ¿para dónde más iba a coger? Además ella, doña Lulu, se iba una temporada con su mamá y yo no me podía quedar sola en la finca con esos monstruos. También quería ahorrar mucho para sacarla de ahí. No tenía salida. Quería ofrecerle un cuarto digno, no como estos de Aguablanca. Soñaba con atenderla, con ser su muchacha para toda la vida y su amante cuando ella lo pidiera. Decidí que si lo hacía bien, en dos años seríamos libres las dos. Pero la vida te traga toda. Poco a poco. Y me fui acostumbrando, y mi corazón se fue marchitando como esas flores de florero. Se me fue el amor. Y venían a verme de todos lados, reservaban por mí con días de anticipación. Aprendí a bailar como las diosas y a hablar de cualquier cosa. La matrona, doña Mimí, me enseñó artimañas, no fue tan mala en realidad. Incluso un poco de cariño nos daba. A veces la extraño. O sea, fui la mejor pagada de todas. Además hice amigas de corazón, y como yo he vivido entre mujeres, pues no me fue nada difícil adaptarme y sobrevivir entre pactos ciegos de protección.

La vida no era tan mala, uno se acostumbra al dolor por pura sobrevivencia. Y hasta raja le saca. Al poco tiempo, ya no llegaron las notas de doña Lulu, supuse que estaba con su mamá...

¿Qué si me gustaba? Creo que me sentí libre. Ganaba bien y yo era la que tenía el control sobre mí misma. Sobre mi vida, sobre los clientes. Es que las personas nos adaptamos a cualquier cosa..., por eso existió la esclavitud. Por eso existen las sirvientas.

Román me buscaba seguido y fue ahí cuando me contó lo que a usted le interesa. La verdad es que fui puta pero no suya.

Me contó algo muy simple pero importante: que ese tal don Lars se había hecho socio de su jefe, del mismito Jonás. Extendieron su negocio a otros pueblos y que les estaba yendo muy bien. Que hacían mucho dinero, pero lo despilfarraban por ahí... Viajaban a la capital seguido y se encontraban en grandes parrandas donde pactaban sus cosas. Le digo esto porque sé que le puede servir para que busque donde debe ser. ¿Qué podía hacer Candelaria? ¿Oponerse a sus fechorías? ¿Para que la mataran? Es muy inteligente mi prima. La que nos manda a todas y eso, eso no es cosa fácil. Lila dice que quien puede con las Aguablanca, puede con todo.

Candelaria me entendió. Jamás me juzgó y hasta clientes me mandaba. [Ríe.] Fue ella la que me presentó a Miguelito. Mi chiquito precioso. ¿Sabía que a unos cincuenta kilómetros de aquí hay un pueblo con un montón de personas pequeñas? Así le digo yo, aunque a él no le molestaba para nada que le dijeran enano. Es más, yo creo que le encantaba que le dijera mi enano rico. Y todo fue porque él me llevó una carta de Candelaria cuando la cosa estaba muy mal con Lila. Cuando la vieja no me quería ver ni en pintura y a mí me daba pánico que me lanzara una maldición. Al entregármela, Miguelito se quedó conmigo de una vez por todas. Fue mi cliente favorito. Mejor aún que don Justo. Mi chiquito amado. El único que logró ablandar un poco mi corazón muerto. Me hacía reír como no se imagina. Él era un comisionado militar, ¿sabe? La pistola le llegaba a las rodillas, pero hacía temblar al ejército entero. Tan chiquito pero picón. Los soldados más tigres se le cuadraban, le tenían miedo y respeto. Reservaba noches completas conmigo para que estuviera solo para él. Es que le encantaba que le bailara, que le contara historias y que le diera de comer en la boca. Y otras cosas que no voy a decirle... ¿Me entiende? Era muy bueno en la cama, y aquello que le conté era muy bondadoso. [Ríe.] Como dice el dicho: mientras casen los centros, no importa que sobren las puntas.

Me contó sus secretos de guerra y, a la larga, me hizo hacer obras de caridad sin saberlo. Porque me decía a quién estaban espiando para desaparecerlo por comunista. O sea, para matarlo. Entonces logré salvar algunas vidas a escondidas. Advirtiendo a pura indirecta para no traicionar a mi enano bello. ¿Me entiende? [Ríe.] No olvido a un tal Ovidio..., con las horas contadas que estaba. Entonces, en pleno éxtasis, le grité que huyera. Que saliera por la puerta trasera porque era tan bueno que la humanidad no merecía perderse de sus mañas en la cama. No me preguntó detalles, solo se puso los pantalones y salió corriendo como le aconsejé. Un tiempo después me lo encontré en la calle con una familia hermosa y me guiñó el ojo de agradecimiento.

La cosa es que hace poco mi Miguelito se murió. Yo me enteré por pura suerte. Pues le cuento que me animé a ir a su funeral. No era mal hombre, solo que hacía muy bien su trabajo y seguía órdenes equivocadas al pie de la letra. Eso era todo. Miguelito me había hecho prometerle que dejaría esta vida de puta. Me veía cansada... Por puro amor lo decía porque, después de experimentar tanta cosa, ahora sé que la única puerta verdadera al amor es la risa compartida. Risa hasta en medio de las tragedias. Varias veces me ofreció mudarnos a la capital, ¿sabe?, pero la vida me había quitado el impulso del valor. Y la felicidad no era lo mío. Las Aguablanca le huimos a eso. Me entró la nostalgia de repente, empaqué lo poco decente que tenía, lo demás se lo doné a mis amigas, y salí rumbo a este pueblo. A respirar mis montañas y a cuidar a Virginia. Tengo mis ahorros y puedo ayudar a las hermanas y primas que están desempleadas por el asunto de Candelaria. ¡Es que las patronas no tienen ni madre! ¿Ve lo lejos que ha llegado esto? Estoy pensando en poner una tienda o comprar la peluquería de don Justo, con todo y huevo, porque ya está bien viejito el pobre. Él también quiere ayudarme por los momentos felices que le di, dice. Y me hace una buena oferta.

Mire señor. Yo de tonta no tengo un pelo, y como podrá darse cuenta, de ingenua menos.

Cuando me enteré que doña Lulu había muerto, quedé seca como una piedra. De una enfermedad extraña, decían las lenguas de la finca. Igual que la sirvienta que llegó antes que yo. Entonces yo me quería morir, no sabe la depresión que me agarró. Solo Miguelito logró hacerme reír un poco. Solo él me entretuvo contándome sus historias. Unas muy divertidas, por cierto. Él necesitaba mi perdón por las cosas malas que hizo en este mundo. ¿A mí? Ni que fuera monja, le decía muerta de risa. ¿Vos estás confundiendo una santa con una puta? Le preguntaba entre risas. A mí me vale madre lo que hayas hecho en tu vida, Miguelito, le decía... Hizo cosas terribles... como matar niños en medio de la guerra, por ejemplo. Era un costal de penas mi enano. Y llevaba al diablo en las entrañas. Pero solo yo lo sabía.

Fui a su funeral. Sí, al de Miguelito. Y lloré como descosida. [Llora.] Ahí me di cuenta de que lo quería un poco. Que nos parecíamos mucho a marido y mujer. Su pobre madre, algo despistada por cierto, me dio el pésame conmovida por el dolor que se me notaba. El asunto de la caja de muerto fue cosa seria. Parece broma... No había caja para él, y la mamá se opuso a que lo enterraran en una caja de niño. Imposible enterrar a un comisionado militar en una cajita blanca toda enguatadita. Al final, después de tanto discutir, pararon comprando una gran caja plateada, llena de colochos, que llegó desde la funeraria Ramo de Uvas..., sí, desde El Caimán. Como el cementerio quedaba en el pico de la colina, pues todos fuimos caminando en empinada. La cosa es que antes de que lo bañaran de tierra, la mamá adolorida pidió ver por última vez a su Miguelito. Cómo llorábamos todos, mientras la banda militar tocaba las mismas marchas de la feria y los soldados avanzaban como en el desfile de la Independencia. Pues cuando la pobre mamá abrió la pequeña puertita para ver el rostro de su hijo, Miguelito no estaba. Su cuerpecito se había resbalado para abajo. Los gritos de la señora no los olvido: dónde está mi hijo, devuélvanme a mi muerto, desgraciados, y entonces yo lloré de la risa. Qué pena decirlo, pero no lo pude evitar. Era como una tristeza feliz la mía. Nunca había pasado del llanto a las carcajadas tan rápido. Y no fui la única. Mucha gente se apartó para evitar el pecado de reírse en un entierro. Hubo que abrir la caja y conseguir periódicos y cuñas para apelmazarlo y ayudarlo a que pasara directo a la eternidad con su carita frente a la vitrina. Supuse que Miguelito hizo esa pasada por mí, para escuchar mi risa por última vez. Además, me reí tanto que se me fue la tristeza.

¿Sabe dónde está el cuerpo de la difunta que busca? Mejor pregúntele a Jonás.

A mí me queda una sola cosa pendiente en esta vida. Porque, como dice Lila, la muerte nos puede coger en cualquier momento y Dios siempre está ocupado. No sé cómo ni cuándo la voy a cumplir. Como usted me prometió que esta es una entrevista secreta, pues se lo voy a decir: no voy a morirme sin vengarme de don Alberto González. ¡Lo juro! Para que mi querida doña Lulu, descanse en paz.

Ahhhh, solo por pura curiosidad: ¿usted ya estuvo en un trío?

[Se retira riendo.]

Ciudad

Amalia Gutiérrez, patrona de Candelaria

La salvación

He tenido muchas domésticas en la vida, sirvientas de todos los tamaños y colores..., unas me han salido malas, otras regulares y un montón de ladronas..., casi todas cortadas con la misma tijera pero ninguna como Candelaria Aguablanca. Aunque la infeliz se hubiera quedado con mi caja de música, porque sé que se la robó..., pero no la acusé porque a ella le debo mi felicidad. ¿Cómo explicárselo? Me arrepiento de haberla dejado ir. Sí. Pero si se hubiera quedado en mi casa, ya me hubiera sacado a la calle. [Ríe.] Todo lo hacía mejor que ninguna. Ni una pizca de polvo dejaba. Y a mis hijos los volvió al orden, no sé ni cómo. Hasta se dormían más temprano. Nos quitó a todos el insomnio, la verdad. Yo no tengo alma para mentir. Creo que involucrarla en ese crimen, solo por haber estado ahí, en esa casa, es un error. Por el amor de Dios y la fe que predico, yo no le puedo mentir. No lo puedo ayudar. Su carácter era dócil y hacía todo sin quejarse... ¡Todo un ángel! Trabajó un par de semanas conmigo nada más, cuando se fue de la casa de los Mitchell por puro aburrimiento, según me dijo..., pero me ayudó lo que usted no se imagina. Y bueno..., le devolvió las gracias a mi marido.

Eso, eso no tengo cómo pagárselo, señor. Lo tengo como cachorro faldero otra vez. ¿Qué cómo lo hizo? ¡Ay, señor!, a estas alturas los cómos son lo de menos.

¡Sí!, se regresó con los Mitchell. Ese asesino la llamaba todo el tiempo y hasta vino a buscarla para llevársela. Él personalmente. Creo que ella no quería irse, pero se la llevó de todos modos. Casi a la fuerza. Yo por poco llamo a la policía, pero ella me suplicó que no lo hiciera, que extrañaba estar con ellos y se fue. Y eso es todo lo que puedo decirle. Le cuelgo porque ya viene mi marido.

[Eleuterio Amado colgó desconcertado. Subió a su habitación rentada y pensó en el milagro que sería tener a su esposa de vuelta. Que hubiese alguien capaz de devolverle los sentimientos que fue dejando regados en el camino. Aunque se percató de que nunca había llegado a él siquiera. Que ni por asomo lo había querido. Con esfuerzo visualizó el rostro de su hijo y sintió miedo. Miedo de haberlo olvidado. En la última conversación que sostuvo con su esposa, recordó los momentos con su madre, igual de incisiva y distante. Se aventó en la cama y quedó viendo al techo atando cabos. Imaginando la vida de Candelaria, viéndola pasearse por el pueblo del brazo de Jonás, o rescatando a Remedios de la muerte. Se sintió perdido.]

El Caimán

Lila Aguablanca, abuela de Candelaria

Rumbo al mar

Antes puta que sirvienta, me dijo mi madre un día. ¿Y por qué no las dos?, le pregunté muerta de risa..., había frío y cruzábamos los caminos de estas montañas ya viejas desde entonces. Todas arrugadas por la sequía. En mi reducida espalda yo llevaba un talego de lona lleno de palos para hacer leña, mientras ella rastreaba grandes hojas de cardosanto para hacer sus remedios. [Prende un cigarrillo.]

Cuando empecé a hacerme vieja, como quien dice nada, se me vino la maña de olvidar las cosas, a veces ya ni sé dónde perdí mi alma..., tal vez se fue entre el tragante de la pila. [Ríe.] Lo dejo todo regado por ahí, hasta mis calzones si no me cuido. La otra vez buscaba como loca mis anteojos y los llevaba puestos, ¿se imagina? ¡Los llevaba puestos! Y en estos días estoy peor... No es que tenga tantos años, digo, pero es que si ya nací rancia, imagínese ahora sin Candelaria. [Tose.]

Pero lo importante, no señor, lo importante no se olvida. Mi casa pequeña; un gato recibiendo el sol de la ventana justo donde usted tiene sus pies. La marimba de nietas revoloteando en el patio sin saber lo miserables que eran. El silencio de una parturienta después de ver por primera vez a su

181

hijo. Mi perro cojo. El rostro áspero y rajado de mi madre y esta llave que es la salvación de Candelaria. Déjeme que le explico. [Empuña una llave que pende sobre su pecho.]

Al fin de cuentas somos parte de la tierra. Para mí la muerte no es un castigo sino un favor. Y hay que hacer las paces con los muertos, porque con ellos vamos a pasar el resto de la eternidad. Aquí estamos solo de paso. Además, es mala suerte burlarse de los muertos. ¿Qué es esta vida comparada con la infinitud? Y que no sea por asustarlo, pero le recomiendo que usted lo haga muy pronto. Las paces con sus muertos, digo. Mis nietas me molestan con que ya solo de eso hablo, de la muerte, pero es la única verdad que entiendo. Cosas de vieja, les digo. Yo siempre les comento que la muerte debe ser realegre porque, hasta la fecha, nadie se ha regresado. ¡Y es cierto! Vea, le explico: antes de morir, mi mamá miraba a su mamá muerta y no le importó irse con ella dejándome a mí por un lado, tan abandonada, sin comida ni para ese día. Sola con mi perro triste, que el ingrato también se murió de hambre a los pocos días. Sí..., el otro lado tiene imán, va atrayendo con el tiempo. Va jalando hasta que lo único que deseamos es cruzar. Bendito olvido. Ahora mis muertos aparecen como si nada, me confunden toda, porque tengo que hacer memoria para saber quién es de aquí y quién es de allá. Con usted todavía tengo mis dudas..., no tengo claro de qué lado está. ¿Cruzando? Yo ya voy dejando a los vivos..., ya me importan un carajo. Que se vayan todos a la mierda, pero antes debo de arreglar el asunto de Candelaria..., para eso le voy a proponer un trato. ¡Ya muerta, para qué quiero la vida!

Vamos despacio, a mi ritmo, que en esta casa mando yo. Por muy humilde que sea, pero aquí escupo donde se me da la gana. Y le advierto que no toque nada. No sea y ni sepa lo que está tocando.

También se pierde el orgullo con los años. Le cuento. Como quien dice nada, yo ya no tengo dignidad. Porque estoy frente a usted, humildemente, sentada ante el hombre que quisiera matar con mis propias manos; frente al infeliz que lastimó a mi Candelaria; hablando con el desdichado que quiere hundir lo único que me queda. Que ve micos aparejados por todos lados. Y me hinco si me lo pide, para implorarle piedad. Tenga misericordia de ella y de nosotras..., yo quise a mi muchacha desde el día en que abrió los ojos hasta el día en que usted me la quitó..., devuélvamela antes de que se arrepienta. Cornelio recorta los periódicos todos los días y me guarda las noticias de la bendita desaparecida. Ahora resulta que la muerta es una santa. ¿Una santa? Si yo sé todo de esa doña. De sus amores con el cura. Y de su marido también lo sé todo. Uno no tiene que estar allá para enterarse, señor. Las cosas vienen solas hasta este cuarto. Como palomillas atraídas por un foco de luz. No se imagina. Candelaria me contaba y..., créame que si esa mujer hace milagros, cuando yo me muera van a sonar las trompetas celestiales. [Ríe.] Sé lo que está pasando allá en la capital. Y nosotras... ¡Impedidas! A mis nietas las despidieron como perros de sus trabajos solo por ser parientes. Y ahora... ¿Quién nos va a dar de comer? ¿Usted?

Como quien dice nada, la pobreza no golpea solo en la barriga, sino en la distancia. En la incapacidad de hacer algo cuando nos pasa algo. O sea... quedamos fuera de nuestras propias tragedias.

Si en este mundo hay que morirse para volverse buena. La muerte arregla mucho al muerto, dice el dicho.

Y para colmo de males Virginia, mi nieta perturbada, no aparece. Como quien dice nada, se escapó hace un par de días y nadie la ha visto por estos rumbos. Ni en San Vicente, que es su pueblo favorito. Imagínese que la gente que no tiene nada que hacer inventa cosas..., andan comentando que tiene un hombre. Que siempre la está esperando. Puede ser desde violenta hasta puta la desdichada. Según la luna. Como que sigue los pasos de mi nieta Salvadora. Yo ya la perdoné. A Salvadora, digo. Y, aunque no me lo crea, su corazón es el mejor de todos. He sido una madre para ellas, he dado mi vida por ellas, las conozco de alma. Este sacrificio me ha llevado todos estos años... Respiro por ellas.

Volviendo a Virginia, écheme una mano y hable con los policías del pueblo que son bien brutos para buscar. Tal vez si usted los ordena hacen algo bueno y me la encuentran. Los niños son inservibles, dicen que la vieron ¿volar? con unas alas grises, como de paloma. Con su vestidito celeste. ¡Ah, mentirosos! Podrán ser muy pobres, pero la imaginación se alimenta de otra cosa. Una que no cuesta dinero.

Figúrese que cuando yo era niña tuve una amiga que jamás existió..., y la quise con toda el alma.

Seguro que me está esperando del otro lado... Míreme, soy una infeliz vieja deshilachada. [Intenta llorar.]

Seguro que muerta no está, mi nieta digo, porque de eso uno se entera. A las malas noticias les encanta visitar pronto. Pero lo fregado es que cuando le agarra de calzones flojos, viera cómo regresa. [Ríe.] Una vez, que se perdió como una semana, me contaron que andaba con un casado de San Bartolo. ¿Lo puede creer? Seguro que la confundieron con alguien más. Es que la imaginación de un pueblo pequeño se vuelve más dura que una piedra del peñasco. Pueblo chico, infierno grande, dice el dicho.

La pobreza es como una mortaja.

Pero no se crea, que siempre hay gente buena. Ángeles en la tierra. Don Marcial, el dueño de la finca, que en paz descanse y Dios lo tenga en su gloria, fue muy generoso con mis nietas. Les traía unas piñatas preciosas que colgaba afuera de la iglesia y las llenaba con dulces de menta. Imagínese lo que eso era para ellas. Todas vivían para ese día. Hasta al circo desviaba para este pueblo, con tal de verlas alborotadas de la emoción. Ese hombre sí que debe de estar sentado muy cerca de Dios. Hizo de todo para que fueran a la escuela, pero ya sabe, mis hijos siempre fueron unos brutos y las pusieron a trabajar desde chiquitas. Pobres ellas, manteniendo a esa partida de borrachos buenos para nada.

Mi Candelaria es la mejor de mis nietas, más lista que una liebre de campo. Yo la traje al mundo a la fuerza, le cuento, porque su madre era débil como esos pajaritos pequeños que se asoman a chupar las flores. Tenía apenas trece años y pocos partos duró la pobrecita. No se me olvida verla saltando cuerda en este patio con su gran panza. Seguro que por eso solo mujeres le dio a Vitalino. ¿Ve? No me acuerdo ni cómo se llaman esos pajaritos... ¡Sí, colibríes! No podía ni pujar la infeliz, entonces yo pujé por ella. Metí mis manos entre su barriga tilinte y saqué a Candelaria a la fuerza. La arranqué de las entrañas de su madre. Fui yo quien la amamantó, ¿Cómo ve eso de ser abuela y madre a la vez? Así pasa en estos rumbos..., a pesar de que sabía que no valía la pena rescatarla porque esta vida, como quien dice nada, pues no es la gran cosa. Fue ella, Candelaria, quien estuvo pegada a mis enaguas toda la vida. Aprendiendo del oficio que yo aprendí de mi madre y ella de la suya y vea que me superó..., sí, tiene la memoria de los dioses. [Tose.] Reconoce la resina de guayaco, sabe del anís estrellado y de las flores amarillas de la ruda. Usa el romero como ninguna. Pero utilizarlas no es nada sencillo, no se crea. Todo tiene su modo. Le quita la gripe y el mal de orín de un soplido y ha enterrado ya varios ombligos de recién nacidos. Si había un solo huevo, yo se lo daba a ella. A mi amada Candelaria. Y cuando me muera quiero que sea de su mano. Está preparada para ayudarme a cruzar. Desde chiquita le enseñé. [Se detiene. Tose.]

—¿Qué es eso, Lila? —preguntaba cada vez que me miraba con unas hojas en la mano.

—Esto se llama anís y es muy dulce —respondía yo con el entusiasmo de que jamás lo olvidaría.

—¿Y para qué sirve?

—Pues para quitarle la lengua a las curiosas.

[Ríe.]

Reconozco que el trabajo de sirvienta es duro. Pero..., dígame, ¡en la vida no hay nada fácil! No se crea. ¡Nada es de gratis! Sé que las muchachas han pasado sus cosas, como las pasé yo. Como quien dice nada, es cuestión de suerte y no sé por qué mis nietas se quejan tanto. Puras babosadas. Si hay trabajos peores. Si no, vea los mineros del norte que ni vivos salen de ahí. Mi papá fue uno de esos y se murió cuando yo recién nací. Mi mamá decía que me regaló su aire con mi primer respiro que fue muy fuerte. Sí, el mismo día, decía. Esa sí es una tragedia. Picar montañas desde adentro... ¡Válgame Dios! Por eso la tierra se tambalea y se venga. Reconozco que somos la mierda y la salvación a la vez. Las patronas siempre desconfían de nosotras, les echan llave a sus joyeros, cierran sus alacenas con candado, pero dejan a sus hijos en nuestras manos. ¿Cómo puede ser eso? Las viejas siempre nos ven de menos, chismean a nuestras espaldas, nos traicionan todo el tiempo porque no somos dignas de su lealtad. Eso no. Aunque nosotras debemos de ser fieles, como perros falderos. Eso sí. [Aclara su garganta.]

Aunque también sabemos traicionar. No se crea usted. De eso sí que están enteradas mis nietas porque yo misma les he enseñado. Usted no se imagina lo que se siente escupir una sopa..., o echar una hierbita de más en el café... Al fin y al cabo, tenemos el poder. El sartén por el mango, como dice mi Candelaria. ¡Ah, sí!, los blancos son traidores. No lo sabré yo. Mire que meterla en ese lío.

187

¿Arruinar a una vieja como yo? Y de paso, pasar trayendo a mis nietas...

Sí, fui sirvienta pocas veces en mi vida porque me quedé con los consejos de mi mamá. Pero aprendí lo suficiente como para montar este negocito con mis nietas y vecinas. Todas ganamos. Ellas salen de esta pocilga y yo sobrevivo con unos centavitos que me dan de comer. Es lo justo, después de lo que he pasado... Imagínese que de cría yo comía las capitas de pintura de las paredes de adobe, con las uñas las rascaba..., desde entonces siempre se me antoja el sabor a cal; chupaba las varitas de grama húmeda, masticaba hasta flores y hacía mis necesidades en el puro monte..., mejor paro. Solo quiero que sepa que seremos pobres, pero no mulas. Si no, mire lo importante que soy para usted. No me canso de decir que la vida es un juego nada más. Yo lo odio y usted me necesita.

Yo era jovencita entonces, pero ya tenía a estos ingratos de mis hijos que me han pagado tan mal. Ni un centavo me dan los desgraciados porque todo lo tiran en las cantinas. Borrachos y vividores son. El Vitalino se lleva al Policarpo por días..., a veces los voy a recoger del pelo a La Estrellita. Cuando tengo fuerza. Pero luego la agarran contra las muchachas..., y la pobre Socorro termina más morada que una berenjena madura. Además, yo ya era viuda. Tan joven y viuda. Tenía que sobrevivir haciendo algo y nadie hubiera aceptado una compañía con olor a leche agria en los pechos. Aunque ahí donde me ve, estas tetas no son cualquier cosa. Créame que pensé volverme una ligera y cobrar por eso, porque siempre he tenido lo mío. Y se gana bien, la verdad. La mamá de una doña que después fue patrona de Socorro, hasta me ofreció irme a la capital a su putero fino, La Media Noche. Pero jamás dejé a mis hijos. Y ese fue mi error. Pensándolo bien, tal vez fui..., ya ni me acuerdo. Porque cuando me daban dinero, pues, ¿cómo no aceptarlo, con la marimba que tenía que alimentar? Yo ya sabía todo de los hombres y a la fecha no he cambiado de opinión. Todos son cobardes, y en el acto ni se molestan en quitarse los zapatos..., ¿me entiende?, solo basta con endiosarlos, alabarlos, para que nos quieran: qué bueno estuviste papito, para que paren dependiendo de nosotras. Y regresen. Las mujeres somos tan brutas que lo único que queremos es que el hombre regrese. He curado a muchos dizque machos en mi vida, por eso de que soy curandera o comadrona y jamás vi a uno valiente... Aquí le decimos, con huevos. Eso se lo juro yo. Bueno..., menos mi chino. Ese sí fue cosa aparte.

Si no..., mírese en ese espejo. Usted está nervioso, asustado como un ratón en trampa, trae una nube oscura encima. La puedo ver. Pero créame que hoy no está en mis manos, porque a mí no me conviene que usted se muera antes de que me devuelva a mi Candelaria. Aunque su fin está merodeando. Lo está velando más cerca de lo que usted cree. Muy. Lo puedo oler como esos perros que encuentran cosas con su nariz. O en la línea cortada de su mano.

Las personas buscan culpables para todo. Siempre queremos compartir la culpa para lavarnos las manos. [Ríe.] Pues en Candelaria encontró usted alivio... ¿En nosotras? ¿En serio cree que aquí va a encontrar respuesta? Espere que le explico... Pensándolo bien, quizá no esté tan equivocado, aunque ya sea demasiado tarde. [Prende un cigarrillo.]

Con más tiempo, seguro que nos hubiéramos entendido.

El chino vino a este pueblo el día de la feria del Caimán. No sabe cómo se pone este pueblo. Hay juegos, vendedores de todas las cosas que pueda imaginarse..., desde pescaditos para pecera hasta churros con azúcar. En los puestos de comida ahora ponen música y la gente se divierte bailando... Pues el chino vino cargado de ilusiones. Si lo hubiera visto. [Sonríe.] Más novedoso que los magos de circo que entonces hacían su parada en este pueblo y terminaban en este cuarto para que yo les leyera la vida. Pues vino a poner una tienda repleta de objetos de la China que yo ni sabía que existía. Si me pregunta cómo me imaginaba el mundo entonces, he de decirle que no pasaba de este pueblo y que topaba con las montañas. ¡Hasta ahí! Y hasta la fecha no entiendo eso de que somos redondos. Él era una auténtica novedad y la gente bajaba solo para verlo. Si hubiera cobrado por palabra se hubiera vuelto rico. Yo le explico. Llevaba cola de niños que lo perseguían por todo El Caimán, que entonces se llamaba El Chol. Bueno, toda la región se llamaba así. ¿Sabe que de ahí nos dicen choleras? Antes eso era digno, un honor, porque hasta las mejores nodrizas salían de aquí. Ahora es un insulto. Recuerdo que los floreros pintados a mano se volvieron más codiciados que las reliquias del más popular de los santos. O sea como... Santa Teresa o algo parecido. ¿Ve? Como quien dice nada, ya ni me acuerdo de mis santos, mucho menos de los recientes. Vea allá, conservo uno en esa esquina. Pero ni lo toque. No toque nada, mucho menos mi candelero.

El chino era risueño, un buen hombre que traía varias aventuras, como un talego amarrado a la espalda. Había cruzado el mar y sabía de cosas que..., hasta de las guerras de su pueblo hablaba y yo, pues le creía. O de unos pescados gigantes, muy gigantes, ¿que se llaman? Sí, ¡ballenas! Yo me imaginaba que con solo pescar una de esas, comeríamos de por vida. [Ríe.] Se sentaba en el parque a contar historias. Y yo, yo dejaba a mis niños solos con tal de ir a escucharlo, con esa forma de hablar tan divertida que tenía. Ah, para mí fue como descubrir la vida. Todos éramos muy pobres y no sabíamos nada de nada. Espere que le cuento. Se hacían pedidos de vajillas al por mayor, porque el chino no se daba abasto con la existencia de su tienda. Farolitos rojos iluminaban la Calle de La Llorona y en los domingos le ponía punto a la propia Virgen del Carmen. Hasta opacó la fiesta de los azacuanes. La gente decía que el chino había venido en un barco repleto de objetos y yo ni sabía qué era un barco. [Ríe.] Traía dragones de papel, espadas asesinas que se llamaban..., ¿sables?, muebles, vestidos o pañuelitos de seda, biombos pintados a mano... Yo imaginaba el barco como una casa enorme flotante, amueblada toda, atiborrada de cosas. Sí, como un edificio metido en la pila. Ahí donde se reflejan las estrellas. Con muchas ventanas, alto, alto. Hamaqueándose entre las olas. [Se detiene. Tose. Prende un cigarrillo usado y sirve aguardiente.]

[El fiscal auxiliar, Eleuterio Amado, jamás sintió tanto miedo. Uno que partía en dos su sensatez. Ni cuando se vio frente a frente con el inmortal Matancero de Verano sintió tanto escalofrío junto. Había dado un salto al vacío y sabía que lo único que le esperaba era el golpe. Se vio engullido por una vida equivocada, sin oeste ni coordenadas. Tocó su piel para comprobar que no se había convertido en un deleznable escarabajo. Su mayor preocupación era lo poco que le quedaba. Como si el reloj estuviese regalando el tiempo a mansalva. Preparaba cuidadosamente la entrevista, reconociendo de antemano que sería solo ella la dueña de sus palabras. Que sería Lila quien lo guiaría sin resguardo por el laberinto de sus suposiciones. Por las guaridas invisibles que solo ella había visitado. Que era ella la que lo sabía todo y probablemente no sabía nada. Frotó su rostro y reconoció que había llegado demasiado lejos. Pensó en la tragedia de Lorena y se vio encerrado en el cuarto oscuro del hospital de San Vicente, esperando, acorralado, la llegada de la muerte. Experimentaba, desde ya, los estertores sin estar agonizando.

El máximo orgullo que llevaría hasta la tumba era jamás haber caído en las mieles de un poder oscuro. Nunca aceptó billetes bajo la mesa, ni desvió investigación a conveniencia de ninguno. Pero esta vez sería capaz de todo con tal de confirmar sus sospechas y encontrar los huesos perdidos de Teresa.

Hasta la fecha se había entretenido en crímenes insignificantes. Lamentó ni siquiera recordar los rostros de las víctimas que sacó de cunetas y dormitorios de moteles desolados. Había transcurrido por la vida sin preocuparse por sus historias ni ver sus fotografías. Cuarenta años le tomarían para comprenderlo. Demasiado tarde. Pensó que había desperdiciado todos los domingos de su vida menos aquel en el que, de la mano de su padre, cruzaron avenidas para ver el desfile de septiembre. Inolvidables las bandas y marchistas esquivando banderines patrios y algodones de dulce. Entre la muchedumbre de ventas y empujones, un policía, con el pecho atiborrado de medallas, detuvo su paso para ungirlo con su mirada. ¿Ves?, le dijo su padre, vas a ser un gran detective. Habría de recordarlo siempre sin ponerle demasiada importancia. Hasta que recibió la nota de su nombramiento como fiscal auxiliar que jamás pensó considerar, de no haber sido porque era el último deseo de su padre. Pensó en el pequeño balcón que daba a la avenida de su barrio, con macetas de hortensias y un vaso de limonada fresca entre las manos de la sirvienta a quien nunca vio a los ojos. De quien no recordaba su nombre.

El amor de su madre siempre representó una complicidad contrariada, donde la iglesia fue el refugio. Pasó su infancia gateando debajo de las bancas entre rezos y plegarias, viendo calzones de gordas devotas.

Se le había olvidado cómo rezar, y las mujeres protuberantes fueron su única obsesión.

El día transcurrió como en un deslumbramiento. A tiempo que transcribía las entrevistas más recientes en un cuaderno de doble línea, revivía los momentos que le devolvían la vida, pero ya sin tiempo para vivirla. Le habían cambiado de sitio el corazón. Los ánimos apaleados lo tiraron a la cama. Esperaba ansioso la hora de encontrarse con Lila. Saber del paradero de Virginia mordía sus ansias y, por último, averiguar si Rosa ya había espantado a los demonios de su pasado. Se imaginó amarrado a la cama de Salvadora en compañía de extraños que le recordaran que aún tenía un cuerpo cubierto de piel para sentir. Acurrucado en el colchón, con cubrecama de flores pálidas, se vio en el espejo de la cómoda arrimada a un lado. No percibió más que la sombra de un hombre flotando en su mirada triste. A este paso, voy a morirme antes de que me maten, dijo. La música de boleros que emanaba de La Estrellita sonaba como el soplido de un gigante entre las calles. Se detuvo a escuchar y perdió por minutos la razón.

Su padre le hablaba al oído. ¿Cómo hacer las paces? Iba a morir, sí, pero no antes de resolver lo que para entonces, ya se había convertido en lo único importante de su vida. Recordó cuando llegó al altar mayor de la Catedral para desposar a una mujer que jamás logró conocer por dentro. Le sorprendió haberla olvidado tan pronto. Se sintió cruel y libre a la vez. La tarde anterior, había encontrado un papel debajo de su puerta con letras de molde: comuníquese con su esposa, y lo lanzó al basurero para no entretener sus pensamientos en nimiedades.

Estaba decidido. Esa tarde llamaría a las oficinas del Ministerio Público para pedir refuerzos. Entre ellos a un forense experimentado, con el fin de ingresar al cementerio custodiado por un batallón de testigo. Pensó en preguntarle a los transeúntes cuánta vida le quedaba ya que, al parecer, todos sabían la respuesta. Este es un pueblo de agoreros, dijo para sí, todos saben hasta donde quedará mi nicho. A su paso desviaban la mirada para no ser arrastrados por el mismo destino.

Transcribió dos entrevistas más. Por la ventana ahora se colaban estrofas del Himno Nacional que, desde la escuela bilingüe oficial de El Caimán, emanaba como silbido. A la mierda con la patria, dijo antes de clausurar la ventana. Tenía todo y no tenía nada. La había encontrado, pero la seguía buscando. Subrayó con lapicero rojo las coincidencias y tenía claro quiénes estaban implicados. Sospechó que todas fueran cómplices y que, mientras él se consternaba por sus relatos, ellas planeaban su muerte a sangre fría. El calor se colaba por las cortinas. Entonces juró frente al espejo recuperar su maldad. Desenterrar lo que lo había hecho grande. No permitirse más nostalgia y, sobre todo, inclaudicable entre las tentaciones de la piedad.

Pero pensó en Virginia. Revivió su aroma a flor y sal y deseó que jamás la encontraran.

La única sirvienta del Hotel la Luz le llevó un café quemado a eso de las 10:30 que no le sentó nada bien. Se tendió a fumar en la cama desolada. Luego, de un salto, se puso los zapatos y bajó a La Evangélica Cristo Rey para comprar una mano de pan dulce que fue escamoteando de la bolsa durante su retorno a la habitación. Conversó nimiedades con don Cornelio, simulando una amistad legendaria. Pegó su mirada a la cortina de manta y pudo olfatear las mieles de un amor prohibido. ¿Usted tiene esposa?, preguntó nada más. Desde siempre, le respondió el tendero entretenido en nivelar la pesa que alquilaba por escasos cinco pesos. En este pueblo a las gentes les encanta pesarse solo para mostrar que no son desnutridas, dijo acongojado. Aquí nos encantan los gordos.

—¿Conoce a doña Lila Aguablanca?, preguntó el fiscal arrepentido.

—Más que eso. Y le recomiendo que me las trate bien a todas. Ya sabe. Las Aguablanca son como familia.

El fiscal auxiliar sintió un repentino jalón de culpa. Pronto escarbó en su bolsillo para extraer la imagen arrugada de Teresa. Inútil ya para pegarla en la entrada del Palacio Municipal. Le pidió perdón por haberla olvidado en el fondo oscuro de su pantalón. Sintió culpa por no haberla soñado durante las últimas noches.

Pateó con desprecio los adoquines gastados de las banquetas. Una señorita sentada en una gradilla evitó su mirada. De seguro aguardaba a un amor furtivo y no le interesaba ser manchada por los ojos de la muerte.

Cruzó aceleradamente el Callejón de las Ratas, pensó en Estella Font, la calígrafa del Ministerio Público compañera de oficina y lo más cercano a la felicidad que hasta entonces había paladeado. Verla ingresar sigilosa a sus dominios para recomponerle el cabello con disimulo magistral era un vicio perentorio. Ver sus ojos descarriados topándose en las paredes para alcanzar los suyos. Sentirse atormentado por el desorden de sus sentidos. Susurrar en las esquinas de los baños casualmente. Dejarse notas escondidas detrás del teléfono público. Reventar miradas en el viento frente a un contingente de burócratas siniestros. Tocarla desesperado entre paradas de elevador. Llevarla al motel de la cuarta para desvestirla de su maquillaje impregnado, como máscara eterna, borrarle a besos los labios pintados, apretujar sus piernas gordas hasta asfixiarlas, librar su gruesa figura de la faja y empezar una historia con el no puede ser, sabiendo que, de todos modos, estaba siendo. Escalar con desesperación la ruta inagotable, desde sus pies hinchados hasta el cabello falsamente rubio, morder sus nalgas de lunas llenas, pintarla con su lengua y, después, ya apaciguados los dos, refugiarse en sus brazos robustos. Para luego, verla vestirse en un ritual conmovedor. Casi triste. Cubrir de nuevo su rostro agujereado con mantos de pintura, esconderse detrás de corsés y fustanes para salir disfrazada a la luz de la avenida con la culpa encaramada en sus recuerdos. En su paladar afloró el sabor de Estella Font, como almendra y lamentó no tenerla cerca para llorar juntos su partida. En todo caso sería ella la única con suficiente historia como para soltar una pizca por él. Porque hasta la fecha no había sido capaz de alterar el corazón de nadie más. Ninguna mujer va a querer a un hombre que acaba de tocar muerto, le decía su esposa.

Franqueó el mercado a pasos acelerados y sintió el primer piquete de la muerte. Una docena de hombres rompieron repentinamente con su conversación, dándole paso al silencio. Dejaron las cervezas arrinconadas en una mesa pequeña para dirigir la mirada y esperar órdenes de quien estaba sentado cómodamente en un sillón. Era el líder. Era Jonás. De talante robusto, botas de piel oscura y camisa ajustada a punto de reventar. De semblante agraciado, aunque hiciera todos los esfuerzos por endurecerlo. Las cadenas de oro grueso dibujadas alrededor de su cuello y el brillante de su anillo reflejaban estrellas en la pared. El cabello más bien castaño y rapado por los lados, manos grandes, capaces de ahorcar a su verdugo en un segundo. Buena pinta, pensó, jamás me lo imaginé tan insigne, a tiempo que la bolsa se deslizaba de sus dedos temblorosos para reventar contra el piso liberando los bollos frescos. Eleuterio Amado lo había imaginado diferente pero el personaje le pareció tan familiar como alguien de su propia sangre.

Jonás se puso de pie y resultó ser menos alto de lo que aparentaba. Bajó la mano hasta la cintura para tantear el revólver frente a sus ojos. Mientras, los acompañantes hacían lo mismo. Lo voy a matar, maldito, gritó. El fiscal aceleró el paso y se sintió cobarde. Percibió espasmos en la nuca y una sacudida recorrió su cuerpo petrificado. Así se siente morir, musitó. Y si la congoja lo invadió, fue porque se percató de que no tenía de quién despedirse. Y no pensó en su hijo. Aceleró el paso entre hordas de niños que salían de la escuela y desembocó en la ceiba milenaria. Se recostó sobre la baranda de hierro forjado y respiró intentando aminorar su agitado corazón. Imaginó el tronco gordo con la inscripción: AQUÍ MURIÓ EL FISCAL AUXILIAR ELEUTERIO AMADO. La nube negra que lo rondaba hacía días, volvió a oscurecer su mañana.

Se detuvo frente al atrio de la iglesia y tuvo el empujón de ingresar pero la figura de Rosa Aguablanca encendiendo las velas lo detuvo. Parecía sumida en un evento musical y pausado. Hipnotizado se escondió detrás de la gran puerta centenaria para observarla: su vestido zurcido y la piel añeja de tanta caricia falsa le parecieron ya parte de su vida. Agradeció ver cómo arreglaba unas flores casi marchitas, cantando himnos de alabanza para una causa perdida.]

No olvido el día que acompañé a mi mamá a una casa solitaria de la montaña. Ahí abandonada, como si el diablo la hubiera escupido en medio de la nada. Toda derrumbada. Toda pobre... [Pensativa mira a la ventana.] Ella me ordenó que me quedara afuera. Entonces me arrimé a la ventana rota para verlo todo. Había una mujer gritando desesperada ahí adentro. Casi desnuda, media cubierta con una frazada llena de hoyos. Tenía la cabeza enrollada con un trapo celeste. Sus piernas estaban abiertas todas y mi madre introducía sus pequeñas manos entre su estómago para sacarle algo de adentro. Algo que yo no sabía. Había mucho calor allí. Sudaban. Los gritos crecían y las pozas de sangre inundaban mis ojitos. Mi madre se secaba la frente con el brazo, muchas veces, y la mujer somataba su cabeza contra el camastrón. Muy duro. Yo pensé que estaba loca. O poseída como dijo una vez el cura a media plaza. Me dormí recostada en el vidrio de la ventana. Dejé nubecitas de vaho en el vidrio. Estaba cansada. Es que yo nací cansada. Desperté. ¿Estaba muerta? Vi un bebé gris sobre su pecho... Por fin su cuerpo se había vaciado. El piso de barro se tragó su sangre. Desde entonces fui con ella cada vez que la llamaban. Y aprendí. ¿Cuántos niños he traído a este mundo? Probablemente a todo el pueblo. [Ríe.]

Es que a mí ya solo me quedan duelos.

Era muy jovencita entonces. No recuerdo cuántos años tenía.

Ovidio Aguablanca llegó a recogerme al cuarto de unos buenos vecinos. Sí, buenas personas ellos. Vivían por allá, en unos tabucos que nacieron viejos. No sé cuánto tiempo había pasado ahí. Perdida. No sé cuándo ni de qué muerte me rescataron. Y él me trajo para acá. Ovidio Aguablanca se llamaba. Entonces solo estaba este patio y varios pájaros revoloteando. Eran como palomas viejas. Me miraban. Recuerdo que me daba terror tener la montaña tan cerca. Sentía que se me caía encima. Te regalo mi apellido, no hay dinero para casarnos. Y yo acepté. Es que no tenía fuerzas para negarme. Entiendo que lo que ese viejo necesitaba era una muchacha para que lo sirviera y una niña para amansarlo. Pero soy Lila Aguablanca. Es que yo no tenía apellido. Y me sentía alguien. Hacé lo que sea por un apellido, que solo con nombre no se existe en este mundo, me decía seguido mi madre. [Distraída. Prende un cigarrillo.]

Ovidio era muy viejo, pero tenía manos. Me hizo trabajar ese día sin cruzar palabra. No le importaba. Apenas si sabía mi nombre. Alimenté a los marranos, solo eran dos, perseguí a una chiva casi pelona, intenté ordeñar una vaca que no daba más que lágrimas... Llegó la noche y él me esperaba sentado en una hamaca. Estaba cansada. No preguntó nada, no dijo una palabra. Una pálida luz iluminaba su rostro ajado. Me agarró sin aviso. Me recorrió con su lengua gastada, áspera como la de un gato..., y yo lo odié. Apestaba su saliva. Penetró mi cuerpo prendido a mis caderas. Me dio vuelta. Dolió. Lo odié desde entonces; lo odio aún enterrado. Y lo seguiré odiando hasta que esté muerta.

Me pegó. [Pensativa.]

Pasó el tiempo, ¿años? Y lo mato. Sí. Eso. ¡Por fin lo maté! ¿No lo hubiera hecho usted? Los guardias llegaron esa noche, pero jamás pensaron que una infeliz desnutrida como yo, con una gran barriga, tuviera los ánimos para envenenar a alguien. Además los crímenes de los pobres no les importan. Somos tan miserables que ni nuestra muerte vale lo mismo. Se lo llevaron en procesión y yo fui feliz. De eso hace ya mucho.

El guardia volvió a la semana siguiente, ¿sabe? A preguntar cosas..., solo por rigor, dijo. Le di un café quemado. Es que así se toma aquí en El Caimán. Conversó conmigo. Como si yo fuera gente. Yo no dije nada, pero mis piernas hablaban solas. Mi cadera de viuda decía cosas. Me respiró cerquita y lo llevé a la pila. Me volví musgo pegado a sus paredes. Fui libre. Usted no sabe cuánto, y yo no sabía que eso se podía. Él sacó un cigarrillo de su camisa y me enseñó. Desde entonces cada uno que prendo sabe a él. Por eso me gusta fumar. Por los gratos recuerdos. [Prende un cigarrillo. El fiscal se pone de pie, ansioso.]

Siéntese. Acérquese que no muerdo. Aunque gallo viejo con el pico mata. [Ríe. Tose.] Tómese el refresco con confianza. Vea que esos manojos de hojas que cuelgan están secos. Ya ni remedios hago solo de pensar lo que pasa mi pobre nieta. Le besaría las manos si me la devuelve... Mmm, aunque usted resultó menos listo de lo que creí. Se dejó tragar por mis nietas. [Ríe.] Lo he visto venir varias veces, desde ese huequito de la puerta miro todo. Pero mi alma también tiene ojos. Y su humildad me conmueve. Usted no es un hombre malo aunque se haga. Yo le vi la cara cuando Lorena le contaba sus desgracias con Fernandito. Ya solo faltaba que llorara con ella. Sé que estuvo a punto de abrazarla. Yo lo vi aguantarse la risa con Socorro. Es que ella es muy divertida para hablar, igual que Salvadora. Usted se hace el fuerte, pero no lo es. Sé que duda, sé que quiere soltar a Candelaria. Usted está buscando monte en un terreno seco. [Exaltada.] Solo le advierto que a esa vieja de Prudencia, la mujer del alcalde, no le haga caso. Está loca de odio y eso se lo puedo asegurar yo. Si tuviéramos tiempo, si yo le contara que hasta un presidente me trajeron a este cuarto. Si le dijera que hasta un golpe militar evité desde esta mesa. Pero mi memoria me traiciona. Se me olvidan todos los detalles, hasta mi alma.

Acá la lluvia lo arropa todo con un terciopelo húmedo. Como rebozo... Acabo de volver del pueblo, ¿se lo dije? Apenas vengo entrando. [Pausa.] Por eso no me dio tiempo de arreglarme... Es que la señora del sastre estaba muriendo y me llamaron a última hora. Buena paga. Primero llaman al infeliz doctor del Caimán que no tiene nada que darles y luego, a escondidas de la iglesia, piden mi ayuda. Y yo ayudo. Pero lo hacen cuando sus enfermos ya están cruzando, cuando ya no hay nada que hacer de este lado. Y la señora me confundió con su madre, ¡qué pena! El marido gritaba por ella. Eso de estar pegado a alguien toda la vida, no trae cuenta... No tuve el valor de negarle su pedido, nunca lo tengo..., ya sabe, las hierbas lo pueden todo. Y mis tinturas no fallan. Hasta de la televisión han venido a hacerme preguntas. [Pensativa.] Pues a la mujer del sastre la encaminé a un sueño profundo para dejarla en paz en los brazos de su madre. Él quedó hincado a sus pies y me dio mucha lástima. Los hombres como usted hacen bien en no querer a nadie. Y me vine corriendo porque me estaba esperando. Ahí donde me ve, todavía soy buena para caminar. Pero traigo pegados sus estertores en la falda.

A los muertos hay que enterrarlos con zapatos, ¿sabía? Yo le recomiendo que lustre bien los suyos... [Ríe.] Les toca caminar mucho para encontrar su cielo, y descalzos no llegan a ningún lado.

Entonces vivían mis nietas pequeñas pegadas a mis enaguas. Muy bellas las Aguablanca. Todas tienen su gracia. Eso depende del abuelo que les tocó. Y Candelaria es la mejor. La más bella. La más buena. ¿Le vio esas piernas que tiene?, es que las Aguablanca son de buena pierna... La gente la fastidia como si fuera la que lleva la marimba, la toca y hasta recoge el pino.

[Lila se pone de pie con dificultad. Bebe dos tragos seguidos de aguardiente. Su voz carrasposa se confunde con el chillido de las láminas sueltas. Queda pensativa. Ausente.]

... Estoy en la pila. Lavando sola. Veo las montañas y respiro profundo. Me tocan las nalgas. No volteo, sé quién es. Me encaramo la falda, me arranco la combinación gastada. Ovidio no está en la casa y los niños están dormidos. Quiero vengarme. Me doy mi gusto, me encaramo en el lavadero, meto los pies en el agua y me corren escalofríos. Mientras, veo dos guacales de colores flotar a la deriva de ese diminuto mar que ha sido nuestro mundo. Él escala como puede. Está desesperado. Me lleno de gusto y lo dejo a medias. Es su hermano. Sigo lavando. Maldito sea.

Si a los hombres hay que conocerlos para odiarlos..., pero como en todos los casos, hay sus excepciones. Mi chino es una.

Llego a su casa. Tengo frío pero no tengo suéter. El chino aparece detrás de la ventana y el reflejo no me deja ver su rostro. Tiene pantalón blanco y una camisa amarrada por la cintura con un como lazo. El párroco se compadeció de mí y me recomendó de sirvienta. Bendito él. Bendita suerte. El chino me lleva a la cocina y hace un té. Yo me siento cómoda con las hierbas. Yo le corro las manos para encargarme. Le hablo del cardosanto, que hay mucho en esta región. Que yo hago las tinturas..., que mi madre me enseñó. Que cura los peores males, hasta de amores maltrechos. Él se ríe. Aunque a estas alturas, sigo creyendo que el amor es el peor de los males... Me pide que la próxima vez le prepare uno y yo prometo hacerlo. Ir al amanecer a la montaña para cortar las hojas frescas con mis propias manos. Que sabe a dulce de tamarindo. El chino se ríe de nuevo. Se llama Chao Tiu y yo me llamo Lila Aguablanca, le digo. [Se detiene.]

Pero vamos a hacer un trato. Espere. ¿Se lava las manos y le echa a ella su rabia? La trae entre ceja y ceja como nigua en los calzones... Si lo que le preocupa es lo que le hizo a Bernardo hace ya muchos años, al tal bombero ese del pueblo, he de decirle que no fue ella. Seguro que le fueron con el chisme. Fue Socorro la que le ensartó un cuchillo. Estaba sufriendo mucho la pobre y andaba como sonámbula sin saber lo que hacía. Él salió huyendo con el brazo colgando, yo misma lo vi, mientras juraba jamás volver por estos rumbos. Y así lo hizo. Candelaria confesó haberlo hecho ella. Cuando le reclamé por haberse echado la carga encima, me dijo: una mancha más al tigre. De todas formas, me van a culpar a mí. Candelaria es más buena que el pan. Ama y protege a sus hermanas y primas como usted no se imagina. A mí me ha cuidado en las buenas y en las malas. Eso sí, cuando lastiman a alguien que ella ama, es capaz de todo. Asunto de sobrevivencia, le decimos acá. Y eso se lo digo no por ser su abuela, ni por ser la nieta favorita de Cornelio, sino porque las estrellas no mienten y ella nació con una plantada en el tobillo. ¿Y a estas alturas quiere culparla por lo del gringo que dicen que mató? ¡Por Dios! Si ese infeliz salió huyendo por cobarde con un hoyo en la cabeza. Si aquí uno da un beso y ya quedó embarazada. ¡Malaya la hora en que usted pisó este pueblo! [Se pone de pie evidentemente molesta. Prende un cigarrillo.]

Que tire la primera piedra el que esté libre de pecado...

[Pensativa.] El chino me espera en la puerta. Me pide ayudarlo a sacar muchas cosas de las cajas que todavía huelen a sal o a porquería de rata de barco viejo. Porque el agua del mar es salada. Jamás fui al mar y Candelaria me va a llevar pronto. Yo te voy a llevar al mar, Lila, aunque sea lo último que haga, me dice.

Dejé a mis hijos solos, encargados con una cuñada casi tan niña como ellos. El mayor ya tenía como diez... Puedo quedarme el día, le dije. La paga es buena y con eso los alimento a todos. Él me pregunta por mi marido: está muerto, le digo sin ocultar el placer que eso implica. Lo lamento, dice el chino. No hay nada que lamentar, le digo seria, convencida. De las cajas salen leones de bronce, platos pintados con paisajes extraños, tijeras, ¡amo las tijeras!, costureros diminutos, biombos chiquitos, telas de seda..., saleros de porcelana, bacinicas pringadas con flores y bordados. [Recupera el aliento.] Me gustaba todo. Desde entonces amo las cosas. Amo los regalos que me traen. ¿Quién dice que las cosas no tienen alma? Usted no me diga que los relojes no tienen corazón. Pues vamos llenando poco a poco las repisas de la tienda que queda a la vecindad de su casa. No pregunto. Yo decido dónde ponerlo todo. El chino se ríe. Me siento útil por primera vez. Soy alguien gracias al párroco y a él. Estoy feliz. Me doy cuenta de que no soy tan bruta como me decía Ovidio mientras me montaba sin miserias.

Ah, el amor...

Cuando me vienen a consultar algo, casi siempre se trata de corazones rotos. Yo no hago trabajos sucios, no, porque eso le queda al diablo. Además aquello de querer de la nada, de la noche a la mañana a alguien, son puras mierdas. Solo doy empujones a los indecisos, nada más. Siempre me traen su alma toda destartalada. Es una pena lo que pasa en este pueblo. Todos enganchados con la persona equivocada. Candelaria es una chica lista, pero se enamoró..., ¿y qué culpa tiene ella? Ese gigante la engañó. Todos lo sabemos. Sé quién quiere con quién. Sé del maldito alcalde y sus fechorías con tantas niñas. Ese infeliz debería de estar preso con todo y Prudencia, su mujer. ¡No Candelaria! Sé de hombres que se aman locamente entre ellos a pesar de los pesares. Y los ayudo. He salvado a señoritas envenenadas. He visto a hermanos enamorados entre sí. A patrones con sus criadas, a meseros con sus señoras. He visto cada cosa... como para hacer un libro. Bueno, una librería entera. [Ríe.] Conozco el corazón de Jonás como el mío propio. Estoy al tanto de él, porque yo, como partera, lo traje a este mundo y como no respiraba, le di de mi aire en su diminuta boca. ¡Quién iba a decir en qué iba a parar! Con Candelaria se han querido mucho... Hacían sus fechorías juntos, pero nada de importancia. Aunque ahora es un hombre muy peligroso... Espere que ya termino.

[Pensativa, con voz queda.]

No lo olvido: ese bebé, como un muñeco gris, me acompañó toda mi vida. Aparece en mis sueños hasta ahora, nunca me dejó en paz. Se metió por mis ojos para seguir existiendo.

[Es un solo cuarto. Ahumado y casi oscuro. El fiscal auxiliar detiene su mirada en el candelero de plata que se luce en la mesa pequeña para dos.

Lo recorre con la yema de sus dedos. Más bien se siente en una cueva. Cuelgan adornos de las paredes, alfombras grandes y pequeñas tapizan el piso de barro. Lámparas de gas de todo tipo, cuadros extranjeros y filas interminables de fotografías. Una repisa colmada de perfumes, la mayoría a medias.]

Sí, las fotos son muy lindas, el fotógrafo de este pueblo fue mi hombre. Empezó fotografiándome desnuda por cinco pesos la foto y paró llorando debajo de mis faldas. Para compensarme fotografió a todas mis nietas. Ah, me encantan los perfumes, pero mi favorito es el olor a tierra mojada. Y este candelero es sagrado, no lo toque, ni se le ocurra. Esas cajas, sí, esas cajas tienen cosas. Esa de ahí me la mandó mi nieta Regina de los Estados Unidos.

¿Sabe cuántas mujeres desaparecen a la semana por estos lares? Esa señora, la suya, la que usted anda buscando, santa la volvieron. [Tos y risa.] Entonces yo le voy a pedir que me devuelva a mi Candelaria. Le voy a poner unas sus cuantas veladoras y un manojo de incienso para que mi nieta regrese y me lleve al mar. Yo le aseguro que todas las de por aquí que se mueren, no llegan ni al milagro de que recuerden su nombre. ¡Basta! ¡No más rodeos! Si lo que quiere es encontrarla, yo puedo ayudarlo. [Intenta ponerse de pie.] Aunque saber la verdad le cueste la vida.

Pero usted se lo buscó...

Vea:

El Jonás tiene lo suyo con el patrón de Candelaria. Se sientan en el mercado a beber cervezas. De vez en vez. Se hacen amigos un año antes de la muerte. Compadres o algo así. Yo misma los veo, los huelo, los siento. Presiento que algo traman. Con estos ojos que pronto se han de comer los gusanos..., los he visto. Don Lars visita el pueblo un par de veces con la excusa de traer a su muchacha al Caimán porque va para el lago. Y El Caimán queda en el camino. Ellos se encuentran sin que ella esté presente. Hacen negocios raros. Lo sé. El patrón mata a su mujer. Llama al Jonás. El Jonás ingresa en la oscuridad de mi cuarto. Tose. Yo me doy cuenta. No me muevo. Tengo miedo. Se lleva la llave que sabe que tengo. Mientras no toque mi caja de música, no me importa. Sigo durmiendo. El patrón viene antes de la madrugada con la esposa muerta en su baúl. El auto se queda lo más cerca de la colina. Desde acá miro las luces como luciérnagas en la noche. Los muertos pesan mucho. Buscan a William, el gringo solitario de Socorro. Los matones del Jonás ya rompieron el cemento de su tumba y la caja está abierta, esperándola. La muerta comparte huesos, mezcla abrazos y el pobre gringo ya no está solo. Jonás regresa. Entra a mi cuarto. Deja la llave en su lugar.

[Tose y prende un cigarrillo. Da dos sorbos prolongados de aguardiente.]

Ese día estaba cansada pero feliz. El chino puso a correr el agua de la bañera... Aun puedo escuchar el chorro. ¿Lo escucha? Cargó mi cuerpo y me llevó al cuarto de baño... [Pensativa.] Desabrocha mi blusa con cuidado de pastelero. Y yo lloro desconsolada lo que jamás lloré cuando murió mi madre o cuando Ovidio me lastimó y partió en dos mi cuerpo dormido. Lo que jamás lloré cuando se murió mi perro cojo. Lo que jamás lloré..., [Tose.] cuando se murió mi amado Fernandito. Lo que jamás lloré con el bebé gris. Me puso de pie con un abrazo y no pude sostenerme. Me caigo sola. Conocí el cariño todo...

Aflojó mi falda con sus manos de santo. Recorrió vértebra por vértebra. Las contó. Palpó mis órganos uno por uno. Estoy desnuda por primera vez aunque mi cuerpo lo hayan visto muchos. El agua es tibia. Me baña los pies. Enjabona mi pelo. Recorre una esponja en mis axilas. No deja esquina libre. Y yo, lloro más. Es que la felicidad me da tristeza. Me lame los pies, dedo por dedo... Me enseña las artes de la piel. Pinta cuadros en ella, como los de sus paisajes extranjeros. Me toca con sus manos de cielo y yo me retuerzo como gata. Grito de placer. Arqueo mis piernas, mi espalda. Sus palmas deambulan, como sonámbulas, por mis orillas. Penetra mis profundidades al ritmo de una música suave. Una y otra vez. Y yo sigo llorando hasta hoy. Y amo la música desde entonces.

¡Listo!

Don Lars mató a su esposa. Eso lo sabemos todos. Estaba desesperado. Lo hizo con un objeto que había en su casa. Algo que quizá yo pueda darle..., como dice el dicho: si es culebra, le pica. Estaba harto de ella. No podía más. Y encima ese cura rondando todo el tiempo... Hay muertes necesarias, hay muertes que traen su motivo. Y él tenía que matarla para seguir con sus fechorías, para librarse de ella, porque se había dado cuenta de que ella se había dado cuenta y le reclamaba cada noche. Doña Teresa preguntaba todo el tiempo por los oficios del Jonás... Desconfiaba. [Recupera aire.]

Él lo prepara todo. Lo limpia todo. La baña como me bañó mi chino, solo que yo no estaba tan muerta como ella. Candelaria obedece y ayuda a limpiar la pared con jabón y pashte: para servirle, dice asustada. Él llama al Jonás. Jonás agarra viaje para la capital con un séquito de matones. Son las nueve de la noche. Llega a la capital. Entra y hablan. Pactan. El Jonás la trae al Caimán envuelta en una cortina. Y la entierra. ¿Quién va a encontrarla? Una aguja en un pajar.

Piénselo... Llévese la llave, pero suéltela. Ella está asustada. Me lo dijo en sueños. Además, haber sido mujer del patrón no es nada nuevo. Si estamos para servir...

Ah, y también llévese el candelero.

[Se pone de pie y cruza el patio sonriente.]

# El Caimán

## El fin

Era impostergable. La sangre de Eleuterio Amado abrazó la tierra. Hilos descendiendo la montaña. El cuerpo afloró solitario, apenas a cinco metros de la tumba sin nombre de William Burton.

Socorro Aguablanca iba rumbo al Caimán. Lo reconoció sin problema porque no había en el pueblo alguien destinado a morir tan pronto. No gritó. Se detuvo y permaneció sentada en el monte, observándolo durante minutos. Impávida por no sentir nada. Por haber perdido el arte del aspaviento. Encuclillada se acercó con cautela para corroborar que el destino estaba dicho y que sus ojos no permanecieran abiertos para tragarse su montaña. Satisfecha, siguió su camino para dar aviso en la estación de policía. Es que él vino muerto a este pueblo, susurró.

La noticia no alertó a nadie. El alguacil de turno terminó con gusto el café quemado que recién le servían; dictó una carta escueta para la central; atendió a una mujer desconsolada por un robo callejero, abrazándola de más; recibió al lustrador que lo esperaba hacía rato, para luego partir a presenciar una escena que ya había imaginado. Si alguien tiene tiempo para esperar, es un muerto como ese, dijo antes de subirse al automóvil gris a pesar de que tendría que parquearlo a dos cuadras y caminar en empinada. Además, ¡un muerto terco que no se dejaba morir!, dijo entre risotadas.

El frío calaba y el polvo había cubierto el cuerpo casi por completo. El fiscal auxiliar prensaba una llave con su mano que soltó sudor cobrizo. Difícil fue para Lila recuperarla, sin dejar huella, antes de que arribara el alguacil. Las Aguablanca lo reconocieron, aunque el cuerpo vacío ya no conservaba ni rasgo del hombre ansioso y compasivo que incursionó en su pasado de puertas abiertas.

Y esa noche, todas soñarían con él. Menos Virginia.

Jamás volvió.

Le sacudieron el polvo como a un aparador de tienda. Límpienle los zapatos, ordenó Lila implacable, que yo me encargo de que se vaya con ellos. Se lo prometí sin que se diera cuenta. Rastrearon el área. Desaparecieron una colilla de cigarrillo sin filtro y borraron algunas pisadas desordenadas entre el monte. El candelero lo ocultaron detrás de un palo seco. Lila tomó prestado el pañuelo del difunto para quitarle la argolla de matrimonio: igual, nunca estuvo casado con el corazón. Se le notaba, dijo.

Con el cuerpo no encontraron papel ni grabadora. La carpeta de sus apuntes estaba vacía. ¡Entonces a qué vino este infeliz..., si no escribió nada!, gritó molesto el fiscal encargado, Doroteo

Lux, a tiempo que rascaba unos dulces de leche en el bolsillo de su pantalón y manoseaba la cintura de una señorita que lo acompañaba. Esa mañana habían viajado desde la capital para saber los resultados que, según había informado Eleuterio en una escueta nota, los sorprendería.

La comitiva salió tarde y encima Doroteo Lux decidió llevar a una mujer de compañía que obligaba a detener la caravana cada quince minutos para tomar fotografías. Por esto los verdugos tuvieron el tiempo suficiente para vaciar el dormitorio del Hotel la Luz. Parecía como si su estancia en El Caimán hubiera sido un espejismo. ¡Descarado! ¡Seguro vino a huevonear a este pueblo!

Al fondo se escuchaban voces pálidas, como retazos en el aire.

Registraron su habitación. Desbarajustaron los colchones y rajaron hasta el forro de su maleta buscando alguna pista. Solo por rigor. Nada apareció, ni la pluma con que realizó sus anotaciones, ni el pequeño casete grabado de ambos lados que había escondido detrás del espejo.

Lila Aguablanca dijo haberlo conocido apenas, en el caserío, una vez que rondó sin aviso, como si anduviera borracho o perdido el infeliz. Que las mujeres de su familia se habían negado a hablarle: es nuestro derecho a guardar silencio. Además, no hablamos con extraños.

El cuerpo lo bajaron de la colina cual Cristo Yacente amarrado a una camilla improvisada que fueron llenando de flores a su paso. Unas amarillas con olor a muerte. Muchos salieron conmovidos a su encuentro, acosados por la culpa de no haber

214

impedido su destino. Frente al mercado, un hombre interrumpió el cortejo. Se quitó el sombrero y lució el brillante de su anillo. Agachó la cabeza y dijo: si necesitan ayuda, yo doy para el entierro. En la funeraria Ramo de Uvas ya lustraban el mejor cajón de su bodega porque vieron en el difunto un potencial de publicidad. Se cercioraron de que tuviera escrito a su costado, con letras grandes y de molde: FUNERARIA RAMO DE UVAS, EL CAIMÁN.

Cornelio sintió alivio. La dueña de la zapatería salió de la tienda hacia el cortejo con unas botas de niño en la mano: son para su hijo. Las dejó pagadas y ya no pasó a recogerlas.

Al fiscal auxiliar lo tendieron en la cama cubierta con una frazada estampada de flores, al lado del espejo que todavía guardaba la imagen de su rostro vivo. Algunas plañideras, enviadas por el alcalde Benítez, iniciaron el oficio esperando a que llegara la esposa doliente para amarrarle la mortaja con sus propias manos. A eso de las seis de la tarde, de luto impecable, se hizo presente.

Doroteo Lux, moreno y enjuto, no salía de su asombro. Abandonó molesto la habitación para tomar aire. El aliento de las velas siempre le incomodó. La esperanza de hallar los huesos de Teresa Montenegro se había esfumado y ya no tenía a quién culpar por la expectativa que había dejado sembrada en la capital. Supuso que era hora de cerrar el caso, archivar el expediente MP0000123-TM y esperar a que algún día los gritos de remordimiento del marido asesino contaran la verdad. Tras haber conocido a la familia de mujeres desamparadas, ahí mismo decidió liberar a Candelaria, seguro de que Eleuterio estaba equivocado con la pobre sirvienta y claro de que en El Caimán no se mataba ni una mosca.

Caminó por las calles angostas y se detuvo en La Evangélica Cristo Rey a beber algo.

—¿Usted tiene alguna información que pueda servirme, señor? —preguntó al tendero.

—Conversábamos de poca cosa, pero jamás me confesó qué lo trajo a este pueblo.

—¿Cree que debería hablar con alguien que aporte información valiosa?

—Con todos, señor.

—¿Pero tiene sospechas de alguien en especial?

—Del pueblo entero.

*Para servirle,* de Anabella Giracca
se terminó de imprimir en el mes de junio de 2018
en los talleres de Diversidad Gráfica S.A. de C.V.
Privada de Av. 11 #4-5 Col. El Vergel, Del Iztapalapa,
C.P. 09880, Ciudad de México.